TOKYO POPから始まる｜日本現代美術1996－2021｜

小松崎拓男

平凡社

TOKYO POPから始まる——日本現代美術1996-2021——目次

第3章　国際展とアジアの美術

凡例

・論考の初出は各文末に示した。「序論」と「あとがき」は書き下ろしである。
・原則として初出の記述のままとしたが、明らかな誤りは訂正し、書籍としての統一上、人名を含め表記を修正した個所がある。
・作品名は《 》、展覧会名は『 』で示した。
・図版キャプションは、作家名、作品名、制作年を記すことを原則とし、必要に応じて撮影者、所蔵先、協力、著作権者を記した。
・巻末に「アーティストURL一覧」を付した。さらに詳しく知るための一助になれば幸いである。
*図版について、一部に著作権者が不明なものがあります。ご存じの方は編集部までご一報ください。

序章——歴史化に向かって

238万人。

さて、この人数は一体何であるかご存じだろうか。名古屋市の人口にほぼ匹敵する数である。ある現代美術に関係する人数なのだが、おそらく美術関係者でも正解に辿(たど)り着ける人はほとんどいないだろう。実は、これは日本の現代美術を代表するアーティスト村上隆のインスタグラムのフォロワーの数なのだ。驚くべき数字である。彼がインスタグラムを更新すると、日本だけではなく全世界の238万人もの人たちがそれを目にしているということになる。

村上隆がインスタグラムにアップしている情報は、所属する世界屈指のメガ・ギャラリー、ガゴシアンでの個展の会場風景や、自身が率いる制作カンパニー、カイカイキキでの作品制作の様子など本業のアーティスト活動から、大坂なおみといった著名アスリートやルイ・ヴィトンやペリエなど世界的な有名ブランドとの商品企画のコラボレーション、さらに父親や母親のモノクロの昔の写真のようなファミリー・ヒストリーに関わること、散策する景色の写真、あるいは自身の入院姿の写真など、多岐に亘る。しかもそれらは日本語ではなく英語のテキストとともに発信されている。この様子から窺(うかが)えるのは、日本人アーティストとしては稀有な国際的な広がりと評価を得た、現代美術のスター・アーティストの日常の姿である。

だが、一見、自身のすべてを情報化し発信しているように見えるインスタグラムも注意深く見ると、たとえ自分の入院姿の画像を載せていたとしても、自身がどこに住み、誰と暮らしているかなど、プライバシーのコアな部分は一切明かされていない。友人との親しい会食や家庭での姿など、ほかの有名人や個人のインスタグラムによく登場するオフショットのような画像もない。プライバシーの管理という点からいえば当然のことではあるのだが、自分の入院姿すら晒し、周囲に起こるすべてが情報化されているように思わせてはいるが、実は、実際はそうではないのだ。ここから窺い知れるのは、村上隆のこのインスタグラムがきわめて戦略的なものだといえることだ。それは、デビュー当初から欧米中心の国際的なアート市場の中で、日本人である自分がどのように世界に出ていくか、それをつねに戦略の基本に置き、さまざまなことを腐心してきた村上にとっては当然のことであり、とても村上隆らしい。

もうひとりの日本を代表する現代美術のアーティスト、奈良美智も戦略家という意味では似ているかもしれない。自身の作品の在り方や方向性を自らプロデュースし、価値付けていく。60万人以上のフォロワー数を誇るインスタグラムやツイッターなどのSNSを使ったイメージ作りや情報発信。その中で語られる核廃絶の問題などの社会的なメッセージも含め、作品の持つイメージを壊さないアーティスト像を作り上げる。柔和な人間像に、ロックなどの若い世代を表徴するような音楽性や知識。掲載された写真から見えてくるアーティスト像は、作品世界の「かわいい」を崩したり、裏切ったりすることなく、リアル・タイムの近しい存在としての奈良美智を伝えている。

これに対して、現代美術のアーティストというより「美術家」といった方が似合う会田誠もまたSNSの愛好者だ。彼のツイッターには9万人以上のフォロワーがいる。ほろ酔い気分で、気ままに時事についての雑感を述べたり、毒を含んだ発言をしたり、ときには物議を醸しながら、言説を巧みに操る。感覚的に見えるが、実際は論理的で、根拠を持った言葉には説得力がある。文章家としての面目躍如といった顔が垣間見えるクレバーなアーティストである。日々の生活を綴る随筆のようなツイートには、奥さんや子どものことなど家庭を中心にした私生活の様子も映し出され、前者のふたりとはSNSの使い方に関して大きな違いを見せる。前者は、戦略的に意図して用い、後者は、まさに日々のつぶやきが可視化、言語化されているのだ。

村上隆、奈良美智、会田誠が日本の現代美術を代表するアーティストであることは、インターネットの時代、SNSで拡散される彼等の情報を捉えようとするフォロワーの数を見ても明らかであるだろう。いまこうして活躍する彼等ではあるが、彼等が美術シーンに登場してきたのは、おおよそ25年前のことである。その当時は一部の人に知られるだけの、まだ多くの人たちにとっては未知の存在であった。またこうして長年に亘って日本の現代美術を牽引していく存在となるとは思われてはいなかっただろう。こうした彼等を本格的に日本の現代美術のメイン・ストリームへと導き、その活躍を予見した展覧会があった。それが、これからここで紹介しようとする『TOKYO POP』展である。

1996年4月27日から5月26日までの1ヵ月間、『TOKYO POP』展は、神奈川県平塚市にある平塚市美術館で開催された。東京からはJR湘南新宿ラインで1時間ほどの神奈川県にある公立の美術館での「TOKYO」という名を冠した、当時も、またいまも「なぜ？　神奈川でTOKYO？」と言われてしまう展覧会である。そして内容も、一部では名前を知られ始めてはいたものの、ほとんど一般的には無名だった若いアーティストたちを中心に集めた、公立の美術館で行う現代美術の展覧会としては、異例の、それまでには見たこともない展覧会であった。

この展覧会に参加した村上隆も、奈良美智も、会田誠も、これをきっかけに多くの人に名前や作品を知られ、大きく飛躍していったにもかかわらず、この美術展の存在について公に言及されることは少ない。あれから4半世紀、25年という時間が経った。20世紀から21世紀へ、そして平成から令和へと時間は流れ、90年代から現在に至るまでの日本の現代美術の流れを歴史化すべき時期に来ていると思われるいま、日本的なポップ・アートが広く認知されていくひとつの契機となった『TOKYO POP』展を思い起こし記述しておくことは、この展覧会の企画者としての責務のように思える。また同時に、この『TOKYO POP』展に始まり、メディア・アートの先進施設NTTインターコミュニケーション・センター［ICC］、広島市現代美術館で現代美術の展覧会を企画し、さらに美術大学での美術教育の現場に身を置いた自身を振り返ると、この中で遭遇したさまざまな展覧会や出来事に日本の現代美術の流れが見て取れるようにも思える。こうした意味でこれまで折に触れて書き溜めた文章をまとめておくことは、日本の現代美術の歴史化のための資料として、ささやかではあるが何がしかの視点を与えてくれるものになるような気がする。これらのことが、本書を刊行しようと思い立った動機でもある。その内容については本文に譲るとして、ここではいま少し、『TOKYO POP』展の記憶を掘り起こしておくことにしよう。

もともと、この『TOKYO POP』展は、海外の美術館に勤める知人に、海外で当時注目を集めつつあった日本の若いアーティストたちの展覧会をやれたら面白いのではないかと話したことに、端を発している。1993年の『第45回ヴェネチア・ビエンナーレ』の若手の登竜門である「アペルト」に中原浩大が、1995年『第46回』には村上隆が選ばれている。国際的に著名な、たとえば、ハロルド・ゼーマンのようなキュレーターが、日本の若手アーティストへの関心を持ち始め、ヨーロッパの国際展などで紹介し始めた頃でもある。

私が現代美術に対して本格的に興味を持つようになったのは1992年に開かれたヤン・フートの『ドクメンタ9』を見てからである。何でもありの祝祭的な展示、そこに集う老若男女がわけのわからない現代美術を見ながら楽しげに笑い合っていた様子は、当時、日本ではまだ、現代美術が一部の専門家や愛好者、あるいは若い人たちのものでしかなかったのとは好対照だった。そしてそのとき、日本でも現代美術が一部の美術フリークだけが楽しむものではなく、もっと普通に一般の人たちにも鑑賞される美術にならなければならないと思ったのである。この面白さ、楽しさを日本でも実現したいと。

とはいうものの、その頃、地方の公立美術館で現代美術の展覧会をやることは、容易なことではなかった。「現代美術なんてわからない」「人が来ない」「学芸員の個人的な趣味で展覧会をやるな」等々、謂（いわ）れない非難に晒されるのがオチであった。

最終的に実現したかった展覧会は、村上隆の個展であった。だが、当時の館長は現代美術には興味はなく、いきなり村上隆の展覧会などできるはずもない。そこで日比野克彦の展覧会を1994年に開催し、さらにその後、最年少で安井賞を受賞した、現代美術とはいいながら具象的な作品で人気となっていた福田美蘭（みらん）、そして東京藝術大学つながり（？）で、最終的に村上隆に行き着く流れを考えていた。だが、これは単なる構想だけに終わってしまった。

しかし思わぬ形でこの現代美術展が実現できることになる。予定されていた展覧会が飛んでしまったのだ。そしてその代わりとして『TOKYO POP』展を急遽（きゅうきょ）、開催することになった。館には短期間で準備できる展覧会のアイデアを持ち合わせている学芸員がほかにいなかったのである。その間隙（かんげき）に乗じてこの展覧会は実現できたのだ。準備期間がほとんどない中、アーティスト選びが始まり、展覧会に向けてスタートが切られた。

最初から展覧会の内容の方向性は決まっていた。国際展で注目され始めていた村上隆や森万里子など、日本の漫画やアニメーションなどのサブカルチャーやテレビのアイドルたちが見せるポップな姿に影響を受けた若いアーティストの新鮮で勢いのある表現を集めることを目指したのだ。それは当時の日本の社会状況を反映した表現でもあり、こうした表現を求める日本のアーティストが、世界のアート市場の中で注目され、今後10年程度は日本のアート・シーンを牽引するだけではなく、世界の美術に影響を与えるに違いないという確信の下にスタートした。

なぜそのように確信できたか。美術の新しい様式や新たな才能は、必ず経済的に繁栄した国や都市から登場する。たとえば、メディチ家の支配するフィレンツェにはルネサンスが花開き、スペインの無敵艦隊の敗退後海洋貿易の覇権を握りヨーロッパの先進国となったオランダに、新興商人たちという新たな富裕層を顧客としたレンブラントが登場したように、市民革命に成功しブルジョワジーが力を持ったパリには印象派が、そして第二次世界大戦後の世界で空前の繁栄を手にしたアメリカに抽象表現主義が、というように。新しい世界の担い手の精神を映し出す、新しい美術の旋風は、こうした経済的に豊かになり、その時代を主導する国や都市に巻き起こるのだ。だから、80年代に世界の経済大国となった日本から新しい美術が生まれるのは必然であると、そう考えていた。つまり、当時目についたアーティストをただ掻き集めただけの展覧会だったわけではなく、それまでにはない新しい表現と方法によって作品を制作し、必ずこれからの日本の美術を牽引する才能を集めることを意図した展覧会であり、言わば「確信犯的」企画であったのだ。なぜ彼等だったのかという明確な理由があったということである。

またあえて「TOKYO」とタイトルに付けたのは、アジアや日本を表徴する記号として、漫画やアイドルなどのサブカルチャーに影響を受けた日本独特の新しい表現を象徴するものとして、さらには世界で注目されつつあったアジアの国際都市東京の先進性や猥雑さを丸ごと呑み込んだものとして、ファッション誌のリードのように、スタイリッシュに「日本的な」ポップ・アートを提示したかったからだ。のちに村上隆は「スーパー・フラット」という考え方を提唱し、西欧の美術のコンテクスト、特にポップ・アートのカテゴリーに入れられることを拒否する中で、この「TOKYO POP」＝「日本産ポップ・アート」の語から一定の距離を取るようになる。

私の考えは、まったくこれとは正反対のものといえる。むしろ、積極的に90年代後半に起こったサブカルチャーとリンクした日本独自のこれらの美術表現を、ポップ・アートの世界的な変奏曲のひとつとして、西欧的な文脈の中に対等なものとして読み込み、美術の世界史的な文脈に日本の現代美術を位置付けるべきだと考えていた。この考えはいまも変わっていない。私の美術史の教科書のポップ・アートの項には、アジアにおけるポップ・アートとして村上隆や奈良美智、会田誠、森万里子らの作品が、イギリスのリチャード・ハミルトンやアメリカのアンディ・ウォーホル、ロイ・リキテンシュタインらと並んで紹介されることになる。おおよそ20年遅れではあるが、日本の経済的な繁栄と独自のサブカルチャーがリンクし、ポップ・アートの正当な、そしてアジア的な継承者として記述されるのだ。

当時頭を悩ましたのが、この日本独自のポップ・アートの起点はいったいどこにあるか、ということだった。そこで、最初に思い浮かんだのが中原浩大の玩具のレゴを使った作品であった。既製の素材を使うある種のレディ・メイドであり、子どもの玩具という日常のありふれたものから発想して作品が構成されている。表現されたものは抽象的であるものの、プラスチックの安価な質感とカラフルな色使い。

この作品の自身の身の回りにある身近なものから借用、援用しても良いという制作の態度や方法のメッセージ、あるいは作品に漂うユーモアなどには、ポップ・アートと同質的なものを感じた。

中原浩大はかなり早い時期に日比野克彦とのコラボレーションを行っていたり、フィギアやラジコン・カーを用いた作品を制作したりしている。サブカルチャーなどに縁が深いのである。

中原浩大のレゴ作品を会場に置こうと心を決めて、交渉に臨んだ。面識がまったくなく、確か電話での交渉だった。何をどのように話したかは、具体的には覚えていない。ただ鮮明に残っているのは、中原浩大が電話口の向こうで言った、「いまさらポップ?」という言葉だった。

この一言で出品はものの見事に断られてしまった。確かに「いまさら」なのではある。日本が経済的に欧米に追いついて社会が活気付き、いかにも難しい顔をして前衛美術を語る時代から、イラストレーションや漫画のヴィジュアル表現が若いアーティストの感性に捉えられるまで、20年を要してしまったのだから仕方のない話なのだ。だが、私は今でも中原浩大のレゴ作品は、日本的ポップの起源のひとつであると考えている。中原浩大は嫌がるかもしれないが……。

このほかにもこの展覧会にまつわる話はいくつもある。制作アシスタントとして参加していた、まだ美大の学生であったアーティスト冨井大裕(もとひろ)のことや、明和電機の美術館でのライブ・パフォーマンスでの出来事、会田誠の巨大化したフジ隊員を描いた作品を密(ひそ)かに展示しようとしたこと、深夜のテレビ番組からの取材と放送、のちに『ドクメンタ10』のディレクターとなったカトリーヌ・ダヴィッドの手元にカタログが届いていたらしいこと等々、これらの話はまた別の機会に譲ることにしよう。

以下、私が折に触れて図録や雑誌などさまざまな媒体に書いた文章が並んでいる。それらを時系列と題材、内容によってまとめてある。個人が見てきた展覧会やアーティストや作品についての文章ではあるが、見方によっては、これらを通してこの25年に亘る日本の現代美術に関わる状況が俯瞰的に見て取れる。『TOKYO POP』に関わる文章を含め、ひとつのドキュメント、記録として、また資料として読み解いてほしいと思う。

いざ、日本の現代美術25年の旅へ。

第1章―TOKYO POPから

日比野克彦の位置――美術の状況から

はじめに

これまで公立の美術館で個展として日比野克彦の展覧会が開催されたことはない。この『HIBINO SPECIAL　日比野克彦展』が日本で初めての試みとなる。若い世代から圧倒的な支持を受け、デビュー以来10年以上にわたって、幅広く、しかもきわめてエネルギッシュな創作活動を続けてきた日比野克彦を、美術館が取り上げようとしてこなかったことはいささか不思議な気がしてならない。すなわち、ある意味でいうなら美術の世界での日比野克彦の不在である。意図的にせよ、あるいは無意識にであれ、このことはいったいどのようなことを意味するのだろうか。

日比野克彦のデビューはきわめて衝撃的だったような気がする。1982年第3回『日本グラフィック展』で応募総数2301点の中から、後に、日比野のトレード・マークとなる段ボールを使用した作品《PRESENT AIRPLANE》が大賞に選ばれる。「80年代は、『日本グラフィック展』『日本イラストレーション展』を始めとして、いくつかのイラストレーションのコンクールが活況を呈した」[*1]と美術評論家中原佑介が指摘するように、この頃新人の登竜門となった各種の公募展が盛んに開催されている。もちろん『日本グラフィック展』もこうした公募展のひとつであり、日比野克彦はこのような公募展から登場した新人の「最初の一人」[*2]である。しかも翌83年の『日本グラフィック展』の応募点数が4634点とたちまち倍増したように、美術の世界を目指す美大生などの当時の若者たちの大きな目標であり、アイドル的存在となったのだ。

以後、次々と日比野克彦に倣う追随者が現れた。そしてその影響は単にグラフィック・デザインや美術の世界に留まらず、ほとんど社会現象ともいえる事態になった。テレビの司会者まで務めるその後の日比野の活躍ぶりを見ても、そのことはよくわかる。そしてテレビや雑誌の仕事に追われる現在の日比野の姿を見ていると、それはいまなお続いているように思える。

また、その創作活動の範囲はさまざまな分野に及ぶ。個展での作品発表、グループ展、パフォーマンス、屋外の壁画制作、室内装飾、舞台美術、舞台衣装、食器、家具などのプロダクト・デザイン、パッケージ・デザイン、本の装丁、イラストレーション、などなど。これら大量の作品群を見るならば、80年代の美術の動向を語る時に欠くことのできない存在であることは確かである。

しかしそれにもかかわらず、正面から日比野克彦を論じた論稿はほとんどない。[*3]また本格的な展覧会[*4]を仕掛けようとした美術館もなかった。これは批評家や美術館の怠惰のせいであるのだろうか。あるいは、日比野克彦の作品が美術館で展覧会を行う美術作品として評価されないということなのだろうか。

それともこうした事態については、もっと別の理由があるのだろうか。
多少回り道のように見えるかもしれないが、美術について考えた上で、美術の世界での日比野克彦のある種の不在についての考察を行い、この論を進めることにする。

多様化するアートの中で

まずは今日的な状況について、すなわち美術の周囲を取り巻く環境について考えておこうと思う。このことは、おそらく日比野克彦を考える上でも、またその作品を論じる上でも、有用なことであるだろう。そしてそれをこうした問いかけから始めようと思う。美術とはいったい何だろう。そして今美術と呼ばれているもののうち、未来において何がいったいこの時代の美術として語られ、何がいったい残るのだろうか。そういう問いかけから。

ドイツのカッセルでおよそ5年に一度の割合で行われている「ドクメンタ」は、最もよく知られた国際的な現代美術展のひとつである。1992年の『ドクメンタ9』では世界各国から200人近くのアーティストが選ばれ、その作品は野外を含めた数ヵ所の展示会場に展示された。その会場を歩き回ると、あらゆるものが美術の表現として認められているかのように思えるほど、さまざまな作品に遭遇する。このドクメンタに参加した日本人の作家だけを見てもそれは明瞭だ。川俣正(かわまたただし)は会場の公園内の小川沿いに木のバラックを何棟も建てた。舟越桂（ふなこしかつら）はあの静謐（せいひつ）な木彫を展示室に置いた。長澤英俊（ひでとし）は室内いっぱいに、アームを張り出し、バランスをとる立体を作った。これらの作品には、それが作品だということ以外に互いに何の共通性も見られない。日本人であるという民族的なあるいは人種的な固有の表現も表面的には感じることはできない。むしろ他の国のアーティストの作品との共通性を見いだしたりする。

もうひとつのよく知られた、イタリアのヴェネチアで2年に一度開かれる現代美術のビエンナーレ、「ヴェネチア・ビエンナーレ」の会場でもそれはまったく同様のことである。1993年の『第45回展』の会場に展示された日本人作家柳幸典（やなぎゆきのり）の作品《ザ・ワールド・フラッグ・アント・ファーム》[*5]のコンセプトが端的に示すように、国境はなくなり、あらゆる民族が混ざり合う。美術自体も同様に、あらゆるものから解放され、どのような表現も許され、もはや美術の前にその表現を阻害する障壁として立ち現れるものは、何もないようにすら見える。男性や女性の性器[*6]も、動物の切り裂かれた内臓[*7]さえ、それは美術なのだと主張する。

こうした状況をもたらしたのは、マルセル・デュシャンにほかならない。1913年に発表された《自転車の車輪》にはじまり、ただの陶製の便器に「R.MUTT 1917」とサインした作品《泉》（1917年）に象徴されるように、このレディ・メイドと呼ばれる美術の方法によってすべてが変わった。いや、正しくはすべてが可能になったというべきだろう。あらゆる表現が美術として認められることになる論拠が与えられたのである。

だが、その無限の可能性は、一方において混沌をもたらしたといえる。かつてのように際立ったイズムや大きなムーブメントも見いだせない。ほとんどジャンル分けも無意味になっている。ドクメンタやヴェネチア・ビエンナーレの会場のように、あらゆるものが無秩序に投げ出されているように見える。

したがって、最初に提出された「美術とはいったい何だろう」という問いかけに答えることはほとんど不可能のように思える。世界で最も現代美術に精通した人物のひとりであり、あの巨大な『ドクメンタ9』を組織したベルギーのゲント現代美術館の館長ヤン・フートですらこう言っている。「実際、私にはアートとは何か、わからない。この話になると言葉を失ってしまう。」[*8]と。

確かにアートが何であるのか答えることは困難である。だが、とりあえずドクメンタやヴェネチア・ビエンナーレの会場に並んださまざまな作品やその混沌とした美術の現状からは、「すべての表現が可能である」といえる。そしてそのことは、少なくとも日比野克彦の作品を美術の世界で扱ったり、論じたりすることができない理由は見いだせないということである。

美術はア・プリオリ（a priori）に美術であるのか

さて、次にここでは、美術が最初から美術であるのかということを考えてみることにしよう。この問いかけは少し奇妙な問いかけであると思うかもしれない。はじめから美術がいつでもどこでも変わりなく美術であるということは、当たり前のことではないかと。われわれは実のところほとんど無条件に、美術を美術と認識している。

　そして作品についても同様に、美術館や博物館に展示してあるこれらを目の前にして、それが美術であり、作品であると認識している。

　試みに「あなたの好きな美術の作品を上げてください」と問いかけてみよう。ある人は、クロード・モネの作品を上げるかもしれない。またある人はレオナルド・ダ・ヴィンチを上げるかもしれない。確かにそれらはすべて美術の作品に違いない。ルーヴル美術館、メトロポリタン美術館、テート・ギャラリーなど、世界各地の美術館や博物館に展示され、誰もが美術の作品と思っている。

　だが、いつでもそれはそうであったのだろうか。ここにある作品の批評がある。

「作りはじめの壁紙さえあの海景より完成されている」[*9]

　おそらくこの評を言葉通りに理解すれば、この海を描いた絵＝作品は壁紙よりも劣るものだということになる。したがってこの評者は、この作品は美術作品として認め難いものだと主張しているといえるだろう。しかしこれが印象派の名前の由来となった、モネの代表作のひとつ《印象―日の出》の批評であったとなると驚かざるを得ない、しかもこの評者は当時の美術記者である。この事実はいったい何を示しているのだろうか。

　少なくともいま、印象派の絵画を美術の作品ではないと思う人は、ほとんどいないに違いない。パリのオルセー美術館をはじめとして世界中の美術館に印象派の作品は収集され、人々は美術作品として鑑賞しに押しかけている。

だが、つい120年ほど前には、これらの作品は美術の作品として認められず、ただの嘲笑の的でしかなかった。それは美術を知らない一般の人ばかりではなく、れっきとした美術に関わる専門家によって印象派の作品は絵画ではない、美術ではないと断ぜられていたのだ。いわく「入場するに支払った一フランを誰でもいい哀れな乞食に与えなかったことを後悔する」[*10]。いわく「公衆を煙にまこうという故意の意図があったのではないか、それとも心的な障害の結果であるにちがいないのではないか」[*11]と。

これら一連のことは、美術を考える上で重要なことがいくつか含まれているが、ここでは美術の作品が、ア・プリオリに、すなわち先験的に、美術の作品ではないのだということだけを指摘しておきたい。美術作品が最初から美術作品であることをわれわれはあまり疑わない。しかし、作品が作品であると認められるのは、ある瞬間から後のことであり、最初からではないのである。これは、ただ印象派の作品だけについて言えることではなく、すべての作品についても言えることである。また同様に、このことは個々の美術作品についてだけではなく、それらが集まりひとつの傾向を示す美術に関する主張や運動、主義、すなわち美術自体や美術そのものについても言えるだろう。

さて、先験的に美術が美術ではないとするなら、美術として認識されるまでには、ある時間の経過が必要となる。しかも、それはただ単に時間が経過すれば受け入れられるということを意味しない。そこには感覚的な受容と、論理的な理解が必要になる。この点については機会を改めて論ずることにして、いまここでは触れない。

以上のようなことを考えれば、日比野克彦の作品を美術の世界では語らないという言葉を聞いても、少しも驚くことはない。むしろ語られなかったということは、日比野克彦の作品がそれまでの美術の概念を超えた革新性、前衛性を示しているかもしれないのである。

創ルヒト、創ラレタモノ、創ラレタモノヲ見ルヒト

次に美術を支える三つの要素を明確にしておく必要がある。

まず「作品」[*12]が存在しなければならない。それを「創ラレタモノ」と呼ぶことにしよう。この「創ラレタモノ」は受動態で語られる以上、自然的に自ら主張したのではない。何者かによって「創ラレ」なければならない。それを創り出す人を「創ルヒト」ということにする。すなわち「創ラレタモノ」は作品を意味し、「創ルヒト」は作者を意味する。

しかし美術は「創ラレタモノ」と「創ルヒト」だけでは成立しない。「創ラレタモノ」を見る存在を必要とする。すなわち作品を見る者の存在が不可欠なのである。それは時に、一般の鑑賞者であったり、作品の依頼主であったり、あるいは批評家であったり、美術史家であったりと、複数の視覚であっても、単数の視覚であっても構わない。作品の外側にある、それを見る存在ということである。これを「創ラレタモノヲ見ルヒト」と呼ぶことにする。[*13]

さてこの時「創ラレタモノヲ見ルヒト」は単に「モノ」を「見ル」だけではいけない。それを美術作品として見いださなくてはならないのである。つまり美術が美術として成立するためには、それが誰か、

何者かによって「発見」されなければならないのである。これは自然科学や物理学の発見に似ている。その法則、あるいは真理は発見され、法則、真理として認識される。美術作品もこの発見の後、美術作品として認識されるのである。つまり、印象派の絵画はそれを美術作品であると発見し、あるいは気付いた人々によって、まず見いだされた。それは物理学の公式が徐々に理解され、あるいは実験によって証明されることによって広い認知に至るのと同様に、一部の人から多くの人々へと伝播されていくのである。

この三つの要素の存在は、どのような時代の、どのような場所の、どのような美術においても当てはまる。すなわち美術は、この三つの要素が作り出す三角形の関係の「場」においてのみ成立しているといっていい。

さて、ずいぶんと迂回路を通ってきたようにも思われる。しかし、日比野克彦の作品を美術として議論の俎上（そじょう）に載せるためには、まず、議論の前提となってしまっている条件を打ち壊す必要があった。ここで再度繰り返すが、「すべての表現が可能」である。したがって日比野克彦の作品を見いだし、発見する必要がある。そしてこの展覧会こそが、日比野克彦の発見の場になるであろう。

だが、ここで日比野克彦を美術の側から論ずるためには、もうひとつ問題にすべきことが残っている。それは日比野克彦とメディアの関わりである。

美術は情報伝達の一種である。絵画においては図像によって特定の意味を伝達したり、あるいは色彩などによってある感覚や情感が引き起こされたりする。絵画について図像解釈学（イコノロジー）が成立するのも、主題の心理学的分析が可能なのも、あるいはイメージ・リーディングのような絵画を読むという作業が可能なのも、絵画が情報伝達の一種であるからにほかならないからである。

さて、美術がこうした情報の伝達であるなら、そこには情報を発信する者と受け手が存在する。「創ルヒト」「創ラレタモノ」「創ラレタモノヲ見ルヒト」という美術の場を構成する三つの要素の中では、「創ラレタモノ」が情報の発信者となり、「創ラレタモノヲ見ルヒト」がその情報の受け手となる。

この時、この「創ラレタモノ」と「創ラレタモノヲ見ルヒト」は、媒介するものなしに直接的に結びつく。この直接性が、すなわち実際に作品を見る者が直接に対面することが、美術における情報の伝達の形式の最も特徴的なことといえるだろう。美術館で行われる展覧会でも、あるいは画郎で行われている個展でも構わない。見る者は一個の作品と直接に媒介物なく対面するのである。

また、「創ルヒト」である作者自身も作品を制作するときには、つねにこの直接性を前提にしている。展覧会の発表であれ、依頼主からの注文であれ、作品はつねにそれを見る者と直接的に対面する。展覧会の会場に、室内の壁に、その作品は掛けられ、見る者はその前に佇むのである。これが美術の持つ構造である。[14]

日比野克彦は『日本グラフィック展』によってデビューする。以後精力的に個展やグループ展などにおいて作品発表を行い、創作活動を続けてきた。それにもかかわらず、日比野の作品に直接触れる機会がけして多くないように思えるのはなぜだろうか。その理由のひとつとして、日比野克彦の作品がメディアの中から広められて行ったという事情が上げられるだろう。ある意味では日比野自身がメディアの中に取り込まれている。[15] どのような作品を制作し、どのような容姿を日比野克彦がしているかを多くの人が知っている。がしかし、実際に親しくその作品に触れている人は、その何千分の一という数でしかないだろう。多くの人が日比野克彦の作品に触れるとき、それはメディアという透明の皮膜に覆われており、その皮膜を通してのみしか作品に触れ得ないのである。

このことは、われわれの知る日比野克彦がメディアの中に存在する日比野克彦であり、作品であったことを意味している。新聞、雑誌、テレビにおいてこれらの像は形成される。けしてこれは虚像でも、創造されたフィクションの世界でもない。だが、作品に限れば、「創ラレタモノ」と「創ラレタモノヲ見ルヒト」との直接性を喪失している状態ともいえる。

日比野克彦を美術の側に取り戻すにはこの直接性の回復こそが急務なのではあるまいか。四色に分解され、かけ合わされ、印刷用のインクによって再現される図像ではなく、生の線や色彩が創り出す世界こそ直接的に体験されるべきである。ダンボールの素材感、ストロークの速い筆致などを感じることのできる立体作品を実際に見てこそ、美術の構造に日比野克彦の作品と見る者を乗せることができるだろう。作品との直接性を取り戻し、関係を回復するには、メディアの皮膜を切り裂き、生身の作品をその中から取り出す必要がある。そしてこのことは、こうした展覧会の場においてのみ可能なのである。

日比野克彦の登場前夜から

直接性を回復し、日比野克彦の作品と対面したときに、そこにあるものは何か。それは表現方法の斬新さ、革新性にほかならない。ここでは、この革新を実現した日比野克彦に連なる美術の文脈に簡単に触れておくことにする。

日比野克彦が大賞を獲得した『日本グラフィック展』はデザインとイラストレーションの公募展であった。70年代後半から80年代当時のグラフィック・デザインは、1964年の東京オリンピック、1970年の大阪万国博覧会のポスターのデザインに見られたモダニズムの延長線上にあったといっていいだろう。

一方、イラストレーションは、美術の世界でのスーパー・リアリズムの流行やヴィジュアル表現の1ジャンルとして急速に確立されていった漫画などに影響を受けながら、単なる挿絵を抜け出し、より個性的な表現へと向かおうとしていた。

たとえばこのような新しい表現を目指そうとしたイラストレーターとして、湯村輝彦、黒田征太郎、河村要助らの名を上げることができる。いわゆる「ヘタうま」[*16]と呼ばれるきわめて個性的な表現の登場である。「一見『なんじゃ!? これは!?』と人々から軽く見られるような絵。しかし良く見ると、技術はヘタだけれど、なんかこう、じんわりと味わいを感じられる絵。素人に毛の生えた程度の絵。つまり、センスとハートがにじみ出た絵」[*17]というのがこの「ヘタうま」であった。これはイラストレーションやデザインの表現において「技術」の枠が外れたことを意味している。真っ直ぐな直線を正確に引けなくてもよい。塗りムラのない色面を作れなくても構わない。むしろ、その人にしか表現できない個性的な線や色彩に価値を置くということであった。

さらに、それまでグラフィック・デザインの一部でしかなかったイラストレーションを独立した表現ジャンルとして確立した、横尾忠則の存在を忘れてはならないだろう。グラフィック・デザインから出発し、唐十郎の主宰する状況劇場などのポスターのイラストレーションで一世を風靡(ふうび)した横尾忠則は、「横尾忠則が登場したころ、ビジュアル・アートの花形は『イラストレーター』だった。日本の絵の上手い連中は皆、横尾氏のようなイラストレーターになりたいと夢見たのである。」[*18]という森村泰昌の言葉のように、イラストレーションの世界で最も傑出した存在であった。また、1981年に行った「画家宣言」によって周囲から嵌められたイラストレーターという枠を打ち壊し、創作活動の領域を拡大した。この横尾忠則のジャンルを越えた活動は、後の日比野克彦の活動にひとつの雛形を与えているといっていい。

もうひとつ美術の世界に目を転じると、日本の既成の画壇の動向は置くとして、美術は、大きくふたつの流れに分かれていったように見える。ひとつは難解で人々にはすぐには理解されにくいコンセプチュアル・アートやミニマル・アートなどの美術。いまひとつは、一般の人々にも比較的理解しやすいスーパー・リアリズムやポップ・アート、ニュー・ペインティングなどの美術である。そして後者の流行は若い世代を中心に確実に美術を受容する層を増やしていったといえる。

日比野克彦は、こうした70年代から80年代にかけての日本のデザインから美術の流れの文脈上に生まれ落ちた美術の世界の正当な嫡子(ちゃくし)である。

ダンボールをカッターで切った線は動感に溢れ、画面に塗られたアクリル絵画は勢いよくハミ出し、文字はラフな手書きで描かれる。技術の枠を超えて、感覚に直接訴えかけてくる方法とそれを受容する下地は、まさに湯村輝彦の「ヘタうま」的世界が準備したものである。「素人に毛の生えた程度の絵。つまり、センスとハートがにじみ出た絵」という言葉は、そのまま日比野克彦の初期のダンボール作品にも当てはまるのではないか。

さらに横尾忠則がジャンルを越えて活動するように、日比野克彦も既成のジャンルの枠を意に介することはない。そして横尾忠則のような存在と役割を80年代において担ったのが日比野克彦であった。森村は言う、「では横尾氏以降はというと、多くの若い芸術家志望者が『グラフィックアーティスト』というグラフィックデザインとイラストレーションとファインアートを一挙に抱え込むようなフィールドに憧れたのである。この時のスーパーヒーローが日比野克彦である。[19]」と。

そして日比野克彦の作品は、世界的に流行するポップ・ミュージックを聴いて育ち、ポップ・アートを好んだ若い世代の圧倒的な支持を受けたといえる。

このように日比野克彦の登場前夜においては、技術より個性的な表現を求める動向、ジャンルにこだわらない新しい型のアーティストの活躍、そしてこうした新しい大衆的な美術を受容する広汎な若い世代の層が形成されていたのである。このような背景の下に日比野克彦の作品はほとんど衝撃的に登場し、そして熱狂的に受け入れられたのである。

日比野克彦の位置

日比野克彦は何を革新したのかという問いかけに対して、あらゆる表現が可能であるということを身をもって示したことにある、ということがその答えになるだろう。

「日比野克彦のダンボールアートが登場した。素材をカッターで切り、白くペイントする。あるいは赤鉛筆のラフなカリグラフィ。わずか数ミリの出っ張りはこの後、すさまじい突出の仕方を始め[20]」という言葉どおり、日比野克彦の作品は平面作品の常識を打ち破り、立体への展開と素材の解放を行った。

この間の事情を端的に示しているといえるのが、日比野克彦が大賞をとった『日本グラフィック展』

の公募と展覧会ポスターのデザインの変遷である。1980年から10年にわたって続いた同展の第1回公募ポスターは永井一正(かずまさ)の手によってデザインされ、いわゆる幾何学的形態の組み合わせによるデザインは当時の正統的デザインに属するものであった。ところが、これが日比野克彦の受賞以後、つまり彼の作品をメイン・ヴィジュアルに使用した第3回展のポスター以降は、まったくその傾向を異にしている。そこにはグラフィック・デザイン的な傾向は影を潜め、受賞作家の型にはまらない作品が全面に使われ、洗練されたデザインであるよりは、力強く個性的なものに激変している。この流れを一望すれば、日比野克彦の登場がひとつの転換点であったことが明瞭に見て取れる。

日比野克彦《SWEATY JACKET》(1982年。岐阜県美術館蔵)

この転換点によって、まず素材の解放が行われた[*21]。絵具だけによって描かれていた作品が、あらゆるマテリアルで表現されるようになり、この種の公募展は、さながら産業廃棄物の見本市のような様相を呈したと言ってもいい。さらにそれは、きわめて急速に広まり、しかもこうした表現を行う追随者は爆発的に増えた。各種公募展の活況と応募者数の増大がそのことを示している。[22]
そしてこの新しい表現フィールドには、日比野克彦の後に多くの才能が続くことになる。タナカノリユキ、谷口康彦（谷口広樹）、内藤こづえ（ひびのこづえ）等々、多士済々（たしせいせい）の作家が輩出した。まさに日比野克彦はこうした作家たちに先駆けた最初のひとりであった。
だが、日比野克彦のこのような役割は、単にグラフィック・デザインやイラストレーションなどのヴィジュアル・アートとその周辺に限定されるものではない。むしろ、日本の現代美術の地殻変動の前触れとなり、現代美術を指向する1960年代前半生まれの作家たちの登場の先駆けという位置付けも可能であるように思われる。
すでに見てきたように、日比野克彦やその作品をデザインやイラストレーションといった美術とは異なる特定のジャンルに押し込め、美術の埒外（らちがい）のものであるとすることは、現代美術においてあらゆる表現が可能になったいま、不当な扱いと言わなければならないだろう。さらに作品と直接対峙し、「創ルヒト＝作者」「創ラレタモノ＝作品」そして「創ラレタモノヲ見ルヒト＝鑑賞者」という美術の場を形成する以上、美術作品として論じてはならない理由はない。否、むしろ日比野克彦の作品を積極的に日本の美術の文脈に読み込む作業をしなくてはならないのではあるまいか。[23]
たとえば、17万個に及ぶレゴを組み上げた彫刻やソフトビニール製のアニメーション・フィギア・モデルを作品として発表している中原浩大、赤塚不二夫の漫画「天才バカボン」を作品に仕立てた村上隆、あるいは操縦可能なゴジラの足を制作したヤノベケンジ、最年少の安井賞受賞作家として知られる福田美蘭など、いわゆるネオ・ポップと呼ばれる一群の作家たちと共通するものを日比野克彦に見いだし得るのではないだろうか。

中原や村上の作り出す作品のイメージは、消費社会の中に深く浸透した誰にでもすぐさま認識できる漫画や商品などから採られている。これらはこの時代の共通するヴィジュアル・イメージであり、これらを巧みに作品へと取り込むことによって、この時代との「共通感覚」を容易に手にすることができる。日比野克彦の作品においてもそれは同様である。野球盤や飛行機、あるいはジャケットや靴。きわめて日常的な道具や商品がモチーフとなる。それは「創ラレタモノ」と見る者の間の障壁を取り去り、親近感を演出する。

しかし、中原や村上にしてもこのような広範な大衆社会を表徴するイメージを用いつつも、社会的なイメージ性や政治性とは無縁である。[*24] むしろ、個人的な体験や個人的な嗜好を重要な要素としていると言えるだろう。それは一見開放的で明るい日比野克彦の作品が、きわめて自閉的な自己充足的世界であることに似ている。[*25]

また、名画や名画の構造をパロディとした福田美蘭のトリッキーな表現は、グランドピアノや線路を等身大の大きさに段ボールで作り上げる日比野克彦のユーモアの感覚に近いだろう。

このようにみると、日比野克彦は1960年代前半に生まれた新たな現代美術を指向する作家たちと近い地平に立っているように思える。そし彼等に先行して活動を始めた日比野克彦は、既成のジャンルを越え、日常的なものから出発し、とりすまして芸術の高みに安住していた美術を等身大の高さまで引き降ろしてより親しいものにした。この日比野克彦の存在はけして無視できない。その活動と作品は美術の分野において正当に評価されねばならないだろう。すなわち、横尾忠則らのヴィジュアル・アートの系譜から発し、1960年代前半に生まれた一群の作家たちがその後に続く、80年代を象徴する美術の最もエネルギッシュで活動的なアーティスト、それが日比野克彦に与えられた日本の現代美術におけるひとつの位置であるのではないか。

*1―中原佑介「80年代のイラストレーション」『グラフィック・パワー展カタログ』、川崎市市民ミュージアム、1989年、p.4。
*2―榎本了壱監修『アートウイルス』、PARCO出版、1989年、p.170。
*3―作品集『KATSUHIKO HIBINO』(小学館、1993年)に松浦弘明による「日比野克彦作品論」があるのが、ほとんど唯一である。
*4―『検証展覧会』と題された初の回顧展が有楽町アート・フォーラム(1993年9―10月)で開催された後、全国を巡回中である。
*5―柳の作品は、透明なケースの中に、色の着いた砂によって国旗が描かれ、そのそれぞれの国旗がパイプで繋がり、中にいる蟻によって砂が運ばれ、時間の経過によって国旗が形を変え、それぞれに混じり合っていくというものである。
*6―オリヴィエロ・トスカーニ《ユナイテッド・カラーズ・ポートレイト》、『1993年ヴェネチア・ビエンナーレ』出品。
*7―ダミアン・ハースト《引き裂かれた親と子》、『1993年ヴェネチア・ビエンナーレ』出品。
*8―ヤン・フート「静かな町、クヴァンからの手紙」『アートはまだ始まったばかりだ:ヤン・フート ドクメンタ9への道』、イッシプレス、1992年5月、p.68/Jan HOET, *On The Way to DOCUMENTA IX*, Edition Cantz, Stutt-gart, 1991。

＊9—ウィリアム・C・ザイツ「《印象》作品解説」『Monet』（辻邦生・井口濃訳）、美術出版社、1968年、p.92／William C. Seitz, *Monet*, Harry N. Abrams inc, New York, 1960。

＊10—イアン・ダンロップ「最初の印象派展」『展覧会スキャンダル物語』（千葉成夫訳）、美術公論社、1985年、p.85／Ian Dunlop, *The Shock of The New*, Weidenfeld & Nicolson, London, 1972。

＊11—同前、p.88。

＊12—この場合、作品が作品として認知されているか否かは問わない。「モノ」あるいは「コトガラ」として存在することが優先される。

＊13—第一義的には「創ルヒト」が、最初の「創ラレタモノヲ見ルヒト」の栄誉を担うが、「創ルヒト」と「創ラレタモノ」の間で執り行われている創造という行為の主体が同一であるので、それは客体化されていないといえるだろう。美術が美術として成立するには客体化、すなわち社会化が必要なのである。

＊14—近年コンピュータなど媒介物の介在を前提にする美術表現が登場してきているが、これらもフェイス・トゥ・フェイスの直接性を保持している。

＊15—本カタログにおいて、タナカノリユキがメディアと日比野克彦の関わりについて論じているが、ここでは、日比野克彦自身がメディアへどのように関わっているかは問題にしない。また、美術がメディアのひとつであるという立場も取らない。雑誌、テレビなど、現代社会の持つ主要なマス・メディアの中に日比野克彦の姿が存在している事実に注意を留めるのである。

＊16—「ヘタうま」について、欧米のアートシーンのムーブメントのひとつであったニュー・ペインティングとの関連を指摘する場合もあるようだが、むしろ漫画雑誌『ガロ』などに登場してきた、つげ義春などの土着的な反モダニズム的表現を起源としているように思える。

＊17—湯村輝彦「テリー・ジョンスンの全部」『NHK趣味講座　イラスト入門II』、日本放送出版協会、1989年、p.83。

＊18—森村泰昌「新・戦後美術史概説」『太陽』1993年11月号、平凡社、p.40。

＊19—同前、p.40。

＊20—『アートウイルス』、p.21。

＊21—むろんこうした素材の解放は、すでに美術の世界では抽象作品やダダの登場によってはるか以前に行われたものであったが、こうした広汎な大衆的な支持と商業主義への浸透による社会化として現れるのは、この時代の大きな特徴といえるだろう。

＊22―この数量的な膨張過程に象徴されるように、この時代の持つ特徴が、いわゆる「バブル経済」と呼ばれたこの時代の経済環境と類似していることにも留意する必要がある。当然日比野克彦の作品にもそれは当てはまるがここで詳論しない。

＊23―ここでは日比野克彦と作品を文脈（コンテクスト）に読み込もうとする立場を取るが、これに対して美術のコンテクスト自体がすでに意味を持たないと見做したり、より積極的に美術のコンテクスト自体を解体、あるいは美術自体を解体したりしていこうとする立場もある。この後者の立場はきわめてラジカルではあるが、ある可能性として魅力に富んだものであり、混乱したように見える現状の美術を理解したり、分析したりする方法論としては有用であるかもしれない。

＊24―これはかつての60年代から70年代にかけてのポップ・アートが、社会的事件や政治的事件を題材にしていたこととは際立った違いを示している。

＊25―「とにかく自分の部屋に飾りたいものを作ろうという感じ。中には気持ち悪い絵描く人もいるでしょ。そういうの、ボクは描く気になれない。自分の部屋に飾りたいもの何描こうかなァと考えると、いまボクが描いているような作品になっちゃう。」（『アートウイルス』、p.23）という日比野克彦の言がある。

［『HIBINO SPECIAL　日比野克彦展図録』、平塚市美術館、1994年5月］

ぼくらの時代の美術——先駆けるものたちへ

はたしてぼくらはどんな時代に生きているのだろうか。あるいは生き抜こうとしているのか。そしてそれはいったい幸福な時代と呼べるものなのだろうか。それとも不幸な時代なのだろうか。ここにある友人が書き留めたメモの一部がある。これをひとつの手掛かりに論を進めることにする。

「一九四五年日本は戦争に負けた。こてんぱんに負けた。そして国家もこの国を指導した人々もその責任を取らなかった。多くの無駄な死者は、依然、無駄死のままだ。

何もかもなくした。この国の人々が最初に目指したものは、目の前に広がる破壊された現実を恐れ、もう一度豊かになることだった。それは心の豊かさであるよりは、飢えから逃れるための物質的な豊かさだった。

このとき、本当に必要だったこの国に対する検証は置き去られた。この国の何がだめで、何が良かったのか。どうして何もかも失う結果になったのか。これらの原因を追及し、責任を明らかにすることは中途半端のままに放棄された。だから社会の隅々に多くの不完全なシステムが残った。

その一方でぼくらは自由というものを手にしたように思った。

（中略）

はじめに、この国は飢えからの脱出[*1]を農業において選択をするのではなく、重化学工業を選んだ。これはきわめて現実的な選択であった。小さな国の美しい海岸線にはいくつもの工業地帯が出現し、社会は活気に満ちた。金属に光り輝く工場群が聳(そび)え立ち、七色に光り輝きながら、七色の煙を吐き、七色の水を垂れ流した。美しい海岸線はコンクリートの護岸(ごがん)となり、何種類かの小鳥と魚が死滅し、そのことで何人かの人が死んだ。しかしそのことで何万人かの人々は飢えなくなり、同時にこの何万人かの人々は、自由を失い、繁栄のための忠誠を誓うことになった。

やがて大量のものが生産され、安価に販売されるようになる。質はおおむね無視された。できるだけ速く多くの人々に、同じように行き渡ることが、最大の目標となった。なぜなら、飢えから逃れたい人々が、そのように欲したし、何よりもその方が大きな利潤を生んだからだ。

ものを売ることが奨励され、売れないものは切り捨てられ、売れるものを作った人は限りなく儲かり、売れないものを作った人はけして豊かにならなかった。そして売れるものを作った人と売った人はともに神様になった。[*2]

この大量に作られたものを運ぶために、小さな国の道はアスファルトで固められ、その上を溢れて他の国々まで渡った夥しい量の車が埋め尽くした。車はものを運び、時には恋人を乗せ、家族を乗せて走り、多くの仕事とささやかな行楽と死を与えた。

アスファルトの道は限りなく増え続けた。しかしそれはけして美しくなかった。コンクリートで固められた海岸も、作られる町も、走り回る車も、あらゆるものが美しさは無視された。大量に作られたものも陳腐で情けないものばかりだった。人々がそれ以上のものを知らなかったし、何よりもこうした陳腐で情けないものの方が巨大な利益を生んだからだ。

(中略)

一九六四年東京オリンピックが開かれ、その六年後、今度は大阪で万国博覧会が開かれた。そしてこの年日米安全保障条約は一〇年前のような騒乱もなく、自動延長された。一九七〇年のことである。学生たちの抵抗運動は敗北し、これ以後、政治を未成年者、そして国民のすべてから遠ざけるあらゆる方策がとられ、政治自身は限りなく腐敗した。その時以来ぼくらの政治的判断力は壊れたままである。

(中略)

列車の窓から沿線を眺めているとこの国の不幸な歴史が見えた。外の光景は年ごとに変化した。木造の小さな家々の薄暗く黒い屋根瓦は、少し明るくなり、駅前には大型スーパーが建ち、小さなビルが郊外へと広がった。そのころから荒れた田んぼが目立ちはじめ、やがてその田畑のいくつかには薄っぺらな盛土が入れられ、宅地になった。その住むには湿潤すぎる土地に人々はささやかな、本当にささやかな、終(つい)の棲家を建てた。とても不健康にそして悲しく哀れに見えた。

この国の美しい風景は、いつの間にかとても醜くなっていった。どんどんと家が建てられた。建築基準法を遵守した規則どおりの家は、ことのほか醜く見えた。

人々はいつの間にか飢えなくなっていた。小さな家に住み、いくつもの商品に囲まれたささやかな夢を実現したようにも思えた。

（中略）

一九八〇年代、気がつくとこの国は、世界で最も豊かな国のひとつとなっていた。そこには廃墟はない。戦争もない。あの恐れていた飢えはもうとっくになくなっていた。でも、この国の人々は貧しかった。一生懸命やってきたはずなのに、とても貧しく、醜かった。

（中略）

こんな悲しい時代に生きるぼくらに、深刻な美術は似合わない。こんな悲しい時代には、悲しく笑ってやり過ごすしかないのだ。」

時代ということ

ある批評家が戦後に著した文章の中で、日本の戦後の歴史はアメリカ化にほかならないと述べている。[*3] 当時の日本の敗戦や軍国主義の崩壊を純正民主主義の到来と見做そうとする多くの議論と比較するとき、これはきわめて歴史の実相に沿った的確な予見であったというべきだろう。

確かに日本の1960年代後半から1970年代にかけての車社会の浸透やマクドナルドに象徴されるようなファスト・フード店、さらにはコンビニエンス・ストアーの登場は、アメリカの生活様式や消費形態のほとんどあからさまなコピーであり、日本の戦後の生活そのものが、アメリカ合衆国の圧倒的な影響下に進展していったのだという、明らかな証拠といえるだろう。そして重要なことは、これらの事柄が、アメリカの戦後の世界戦略、とりわけ対ソ連、対中国戦略と密接に繋がり、日米安全保障条約を基軸にした日米の政治的な同盟関係に結び付いた生活様式や消費形態を含む社会構造の同化だけではなく、人々のメンタリティー、すなわち心の在り様にまでも及んだことにある。言い換えれば、この国の精神と文化的な営為の深層にまでアメリカの影響が及んだということである。

たとえばそれは1960年代から70年代のテレビ番組に端的に現れる。「名犬ラッシー」やアニメーションの「ポパイ」などの番組は、当時日本で制作されていたどの番組よりも内容や映像技術において優れたものであり、大人や子どもの心を捉えていた。しかも重要なことは、単純に娯楽だけを与えたのではなかったことである。ここでは、繰り返し登場するアメリカの生活様式や家族の様子によって、画面に登場する大量に作られた工業製品や電気製品などの物に対する憧れを、さらにはそれらを大らかに消費し、幸せを享受する家族や社会の理想像を与えられたのである。すなわち、アメリカによって戦後の日本人の理想や倫理観、すなわち戦後日本の価値観の原像が与えられたと言ってもいいかもしれない。

社会のあらゆる場面で立ち起こったこうした現象は、戦後の日本人の心性に深く関与するとともに、文化的な状況の下でも、また日本の戦後美術の上にも反映されることになるのはあまりにも当然のことだろう。

今回の展覧会に出品する作家の多くは、1960年代生まれである。日本が高度経済成長期を迎え、戦後に一区切りをつけて国家として完全に復興を成し遂げた、最も活気ある時代に生まれ育った世代であろう。

彼等が育った時代の簡単な素描を試みよう。

彼等が幼少期を迎える頃には、写真やテレビはカラーになり、身の回りにはビニールやプラスチック、化学繊維など石油化学製品が溢れ、電気製品、玩具、文房具、服などの材料となったばかりでなく、人工甘味料、人工着色料、化学薬品などを通じて直接身体へそれらは侵入してきた。そしてこれらのものは鮮やかだがけして上品とはいえない色に彩（いろど）られていた。すなわち、いつも安っぽい色や質感に満たされていたのである。

さらに急速に拡大するメディアの中でもテレビは圧倒的な影響を与えた。憧れの対象はテレビに登場するアイドル歌手であり、怪獣や悪人を倒す改造人間や宇宙人がヒーローになり、商業主義の市場戦略がこれらの主人公たちを商品に変え、消費という現実に溢れさせた。市場は加速度的に拡大し、メディアそれ自身が現実になっていく倒錯した循環状態が生まれ、自分たちが生活する現実の空間とテレビの中の現実がいつの間にか重なり合い、現実とテレビの境は透明なビニール1枚程度の曖昧なものでしかなくなってしまった。彼等はメディアが作り出した現実を生きることになる。

また、第二次世界大戦後の日本がアメリカの圧倒的な影響下にあったとすると、彼等に現れた端的な例は音楽の世界であろう。彼等に先行する世代がビートルズやローリング・ストーンズによって感性を育んだ世代であるなら、ウッドストック以後のポップス、ロックを聴き育ったのが彼等である。アメリカのヒット・チャートに精通し、誰よりも早くアメリカの流行を手に入れることが彼等のステータスになり、演歌やクラシックは旧世代の音楽として敬遠され、世代の共通する音楽とはならなかった。しかし彼等が受け入れたのは、社会からドロップアウトしたり、社会に反抗したりする英語の歌詞ではなく、単にリズムとメロディーであり、これらが彼等の共通感覚となる。そしてスタイルとしてはロックでありながらメンタリティーは演歌や浪花節という、キャンディーズやピンク・レディーといったアイドルたちの歌う音楽が流行するのも、この頃であったといえる。

さらにこの世代に圧倒的な影響を与えたものに漫画の存在がある。少年少女向けの週刊誌、月刊誌ばかりでなく若者や大人たちに向けた青年誌など新たな分野の需要が作られ、１９７０年代において漫画雑誌は急速に販売部数を拡張していった。そしてこれらの漫画の主人公たちは、テレビのアニメーション番組となってさらに拡大成長していく。彼等の多くは幼少時から人気漫画の主人公の付いた靴を履き、洋服を着て、これらのキャラクターのオマケや懸賞品の付いたスナック菓子などをおやつに与えられ、こうした漫画や漫画の主人公たちがごく自然に日常的な存在となっていった。しかし当然これらのものは俗悪なもの、低級なものと見做され、教育や文化の領域からは徹底的に排撃を受けた。

彼等は社会に溢れる図像や物に興味の対象を見出す一方、その関心事から抜け落ちてしまったものがある。それは社会を構成する制度や規則、政治、経済あるいは倫理といった目に見えない仕組みである。特に70年代の学生運動の収拾の過程と結果は、教育の政治的な中立を旗印に、教育の現場から政治が排除され、現実の政治は、官僚制度に支配され、形骸化し、さらに、長期の単独政権による汚職や収賄といったロッキード事件などに代表される政治スキャンダルが続き、政治への関心は急速に失われていった。この非政治化という現象は社会の一般的傾向としても、また美術の分野においても進行していった事柄であるだろう。60年代の美術が当時の政治的なイデオロギーと深く関連していたのに対して際立った違いであり、特徴といえるだろう。

これ以後、社会のさまざまな仕組みや制度に対する関心が薄らぎ、必要以上に関わり合うことを拒絶し、最小限の関わりを持つだけという態度がごく一般的となってくる。「連帯」「同志」「改革」といった政治的スローガンは急速に色褪せ、魅力を失い、格好の悪いものになっていったのである。

こうした個人と社会や政治に対する関係の希薄化が進行する一方、趣味や個人的な関心事でのネットワークの形成が始まる。テレビのアイドル歌手を追いかける「おっかけ」、写真に熱中する「写真少年」、アニメーションや漫画同人誌などのブームは、いわゆる「オタク」を生む。このオタクの世界は、特殊な領域での専門用語や専門知識が共通言語となり、彼等以外の世界からのコミュニケートがきわめて困難な、閉じられたサークルといえる。この閉じられたサークルの中で、情報や技術は精度を増し、ある特殊な領域での文化価値の蓄積が進行した。

以上がきわめて荒い素描だが、この時代のある状況を示している。この素描の中に含まれるいくつかの言葉が、彼等の美術を解釈する上でのキーワードになるのではないだろうか。

森万里子《Play with Me》(1994年。Courtesy of SCAI THE BATHHOUSE INC.)

ポップ・アート世代

ポップ・アートの展開に関する美術史的な経緯については ここでは詳論しない。この60年代から70年代にかけて起こったポップ・アートという美術の潮流と90年代に起こった、ないしは起こりつつある現在進行形の日本の美術のある傾向との距離と落差にまず注意を払うことにする。

イギリスにせよ、アメリカにせよ、ポップ・アートと呼ばれる美術が、日常のさまざまな物からイメージを借用しながら作品を作り上げていることは言を俟たないだろう。ポップ・アートの由来ともなったリチャード・ハミルトンの歴史的なコラージュ作品《いったい何が今日の家庭をこれほど変え、魅力的にしている

奈良美智《Good & Bad》（1995年）。壁面の作品は《Abandoned Puppy》（1994年）（『TOKYO POP』での展示、同展図録より）

のか》（1956年）にもそれは端的に現れている。また、コカ・コーラ、キャンベルの缶スープ、あるいはミッキーマウス、マリリン・モンロー、エルヴィス・プレスリーといった図像を駆使したアンディ・ウォーホルの作品を見るまでもない。

商品、漫画など身の回りに溢れるありふれた図像。これらを作品に取り込む手法は、今回の展覧会に出品した多くの作家たちに共通する手法である。ここではポップを「イメージの借用あるいは援用」という方法論において共通項としてまとめておこう。

さらに、オリジナルなポップ・アートとの距離と落差の問題を考える前に、今回参加した作家たちが、どのようにポップ・アートに接してきたかについて簡単に触れておこう。たとえば桑原正彦は、アンディ・ウォーホルがプロデュースしたロック・グループ、ヴェルヴェット・アンダーグラウンドの音楽を最も親しい音楽のひとつとして聴いており、[*4] レコード・ジャケットのデザインをしたウォーホルの作品に親しんだのはごく自然のことだろう。またイチハラヒロコは学生時代にはアンディ・ウォーホルのような作品を作っていたという。[*5]

桑原正彦《石油化学の夢》(1995年)
(『TOKYO POP』での展示、同展図録より。Courtesy of TOMIO KOYAMA GALLERY)

すなわち彼等のうち年長ないし早熟なグループは音楽を通じ、あるいはファッションを通じて同時代的に、また比較的若い世代は、評価の定まった規範や習うべき美術の様式のひとつとしてポップ・アートに接していたといえるだろう。彼等のほとんどが、あまり時間差を置くことなく共通体験として何らかの形でポップ・アートに親しんでいたといえる。だが、ここで注意をしておかなくてはならないのは、彼等の接していたのは思弁的なイギリスのポップ・アートではなく、アンディ・ウォーホルやロイ・リキテンシュタインなど絵画的で明るいイメージに溢れたアメリカのポップ・アートであったということである。むろんこれは、前述したように、戦後の日本文化がアメリカの圧倒的な影響下にあったのだということとの当然の帰結であり、戦後の日本美術の流れを追うときには、つねに顧慮しなくてはならないある偏りといえる。

さて、村上隆が「日本産ポップ」[*6]と呼ぶ一連の作品群と、いわゆるオリジナルなポップ・アートの距離と落差として際立った項目に上げられるのはその「**非政治性**」であるだろう。たとえばアンディ・ウォーホルは、毛沢東の肖像を作品に取り込むことにより当時の政治状況と鑑賞者を、意識するとせざるとにかかわらず関係づけ、リチャード・ハミルトンは《スウィンギング・ロンドン》(1968、69年)で麻薬所持の嫌疑を掛けられ逮捕されたミュージシャン、ミック・ジャガーが手錠を嵌められた新聞の報道写真を用いた作品を制作し、社会的スキャンダルに関わっている。こうした作品が制作された背景には、当時の反体制運動の盛り上がりなどの時代状況があるだろう。しかし、1993年の『第45回ヴェネチア・ビエンナーレ』に出品されたハンス・ハーケの作品《ゲルマニア》やロシア館のイリヤ・カバコフの《レッド・パビリオン》のように、時代状況にかかわらず政治的、あるいは社会的関心事をテーマとして作品の制作を行う作家はいる。これらの現代作家の仕事と比較したとき、「日本産ポップ」を標榜する作家のノン・ポリティカルな性格や制作態度はいっそう際立ったものといえるだろう。

さらに社会的な事象との関わりにおいて成立するはずのポップが、逆説的に聞こえるかもしれないが、「**非社会性**」を特徴としているのである。ポップ・アートがつねに大衆的なものを基盤とし、通俗的で、大量消費など社会と密接に結びついた美術であることは確かなことであるだろう。この展覧会に出品している作家たちも、現代の日本社会に溢れる日常的なイメージを縦横に駆使して制作を行っている。しかし、個々の作品を検証すると、それぞれのモチーフが社会と作品、あるいは見るものと社会を結び付ける接点であるよりは、私的な世界への入口であり、他者の入ることのできない、ある特定の共通言語を持つ者しか入り込むことのできない閉じられたサークルの入口のようにも見える。つまり、そこにはオタク的世界やきわめてマニアックな世界が存在するのだといえる。一見明るく楽しげに見え、人々にとって開放的に見える世界は、本来のポップとは正反対の、非大衆的で、非消費的、かつ非社会的な世界と隣り合わせの世界だといってもいいのではないだろうか。

ノスタルジアと世紀末

今回の参加者の中で最も年長の間島領一(まじまりょういち)は、1970年代後半にアメリカの西海岸の美術学校で薫陶(くんとう)

間島領一《ヌードル・ボーイ》(1995年)

を受けたアーティストである。明快なコンセプトと合理的な制作に関する方法論は間島の大きな特質であり、彼の強烈で個性的な色彩表現や作品の持つある種土着的な日本的趣味とは好対照をなすものといえよう。また、この展覧会に出品した作品《まんま》《ヌードル・ボーイ》《ヌードル・ガール》など、「食」をテーマにした作品には、明らかに社会批評や批判の言説が含まれている。しかしそれらが深刻な問題であるにもかかわらず、あからさまな批判や批評と化さないのは、ユーモアや諧謔の柔軟な精神が作品に横溢しているからであるだろう。このユーモアと強烈な個性的表現を武器に、一般大衆の中へ美術を浸透させようとするしたたかな策略がそこには存在するように思える。

間島に比較的近い世代として中ハシ克シゲがいる。外国人力士の姿をブロンズとして表現した作品《サアリー》には、テレビの相撲中継やスポーツ・ニュースなどを通じて慣れ親しんだ力士のユーモラスな姿がある。だが、こうした図像が、一方では封建的な力士社会や人種偏見などの問題を孕んだ社会的事件と重なり、作者が意図するとしないとにかかわらず批評の言説が作品に見

中ハシ克シゲ《サアリー》（1993年、奥）、《リング》（1993年、手前）
（『TOKYO POP』での展示、同展図録より。Courtesy of ORIE ART GALLERY）

村上隆《そして、そしてそしてそしてそして》(1994年。写真＝上野則宏。©1994 Takashi Murakami/Kaikai Kiki Co., Ltd. All Rights Reserved.)

え隠れする。

このふたりの作家の作品が、ともにある意味で日本的な主題を持つこと、そしてそこに批評や批判が表出することは、1960年代生まれの作家たちの作品との世代間の微妙なズレや差異といえる。このズレや差異は自らの方法論を構築していくときの時代的な微妙な時間差にあったように思う。すなわち、個々には社会との繋がりを拒否する閉じられたサークルへの入口が存在しないのである。

村上隆の1994年に発表された《そして、そしてそしてそしてそして》は記念碑的作品といえるだろう。漫画の主人公とお笑いタレントのギャグに由来する擬アニメーション・キャラクター「DOB君」[*7]の創出は、かつてアンディ・ウォーホルがミッキーマウスやドナルドダックを使って作品を作り上げた方法論を、そのオリジナルという借用するイメージの側をも創造の範疇に引き込んだものといえる。しかもこうしたキャラクターという装置によって美術と広範な大衆との繋がりを期待する村上の戦略とは対照的に、「芸術家が自分の観客と深層において共有できる言葉が、アニメ、マスコミ、ファッションの語彙でしかない」[*8]という悲劇性の指摘は、村上の依拠する方法論が、一方では閉じられたサークルに近接するものであることを明快に示している。この悲劇的な構造を乗り越えるためには、創出されたキャラクターが商品としての意味を持ち、広範な不特定多数の人々の間に浸透し、消費されることにあるだろう。イベントのキャラクターとしての使用やマスコミへの頻繁な露出はその兆候といえるかもしれない。

こうしたアートのマスな拡張を戦略的に指向する村上に対し、体質的に世代の精神風土を色濃く漂わせるのが太郎千恵蔵である。《PURE=POPULAR》《Abstract Nude III》などに登場するアイドル歌手の肖像や漫画のキャラクターの図像は、彼等の世代の憧れの対象やヒーローであった。これらの光に輝く世界が、化学繊維の薄い布の向こう側や透明な薄いアクリルの質感を透過して広がっている。「大量に作られた」「陳腐で情けない物」の色彩や質感が、テレビのモニターのガラス越しに見えるように、薄い皮膜の彼方にある。これは一種のノスタルジアであり、薄いベールに包まれた幸福な幼少期の記憶の形象であろうか。しかし、新作《4月のドラゴン》などでは、こうした形象の記憶を意図的に消し去ろうとしている。[*9] かつて皮膜の向こう側に見えた世界は、絵具の層によって塗り込められ断片化し、「指示対象の無い純粋なイメージ」[*10]による絵画的イリュージョンの復活という新たな展開を試みている。

時代のノスタルジアは桑原正彦のインスタレーション《石油化学の夢》(53ページ参照)にも見てとれる。桑原の題材とするのは銀行などで配られた販売促進用の商品や宣伝用のオマケといった、やはり「大量に作られた」「陳腐で情けない」ビニールやプラスチックでできた石油化学製品である。幼児の手

ミヤタケイコ《イヌムシ（BLUE）》（手前）、《イヌムシ（RED）》（奥）（ともに1995年。『TOKYO POP』での展示、同展図録より）

なぐさみとして与えられそうなこれらのものは幼児期の記憶と重なるだろう。しかしここで注意を留めなくてはならないのは、描かれた画面に漂う感覚が、子ども時代の満たされた幸福感であるより、そこはかとない不安や不気味さグロテスクさである。それは幼児が手にしたこれらのものがけして安全なものではないことを、すなわち化学的に処理された人工物の危険さを表徴している。またこれらの間に配された食肉の図像にも抗生物質や保存料が忍び込む。この危うげな表現に潜むものの源泉は、この時代が持つ生存への漠然たる不安であるかもしれない。

不安やグロテスクさの感覚は、奈良美智（52ページ参照）やミヤタケイコの作品からも垣間見られる。だがこの感覚は、桑原の作品世界が持つものとは別種の不安やグロテスクさであり、人形の首や昆虫の羽をむしり取ったりする一見無邪気に見える子どもの所作が一転残酷さへと転化するような、未成熟なものの残酷さの形象化ともいえる。それは可愛らしい幼児の体型が、成熟した大人と対比したときグロテスクにも見えるように、本来可愛らしさの陰に潜む不気味さの存在が顕在化したものであろう。

子どもの世界を別の角度から図像化してみせるのは会田誠の《ポスター》である。学校教育の中で展開する美術や絵画のいかにもありそうな図様を学年ごとに正確に写した作品には、驚異的な技術力がみられる。この目を見張るテクニックで描き出されたのは「こどもはじゅんすい」という神話の陰に潜んだ限りないエゴイズムや残虐さにほかならない。子どもは純粋であるのだという大人の思い込みと現実のズレ。学校教育や美術教育に向けられる皮肉な眼差しは、巨大な石膏デッサン像を描いた《BRUTUS》によって、美術大学への受験教育や美術雑誌という権威も含めた美術そのものにも向けられる。

会田誠《BRUTUS》(1992年。高松市美術館蔵。©AIDA Makoto, Courtesy of MIZUMA ART GALLERY)

美術に対してアイロニカルな眼差しを向ける作家がもうひとりいる。イチハラヒロコである。《机。皿。リンゴ。》《土。石。鉄。木。ステンレス。》によって現されているのは言葉によって置き換えられてしまった絵画や彫刻のスケルトンである。額や展示台に収まったモノではなく言葉として

ムラギしマナヴ《IYOMANTE》（1996年。Courtesy of MORI YU GALLERY）

の美術は、見る者を戸惑いの中に落とし込む。そしてそこに現されているのは常識や日常をくすぐる単純なユーモアではなく、露わにされた美術や美術史に対する「美術とは何か」という根源的な問いである。

プラスチックやビニールの質感や安っぽくどぎつい色彩が、子ども時代の記憶や思い出に結びつく彼等の世代のノスタルジアであり、可愛らしさに寄り添う不気味さや不安が世紀末の空気であるなら、ポップな明るさや快活さが現れているのが中村哲也やムラギしマナヴである。

中村哲也のカラフルなトロフィの意図的に施されたチープな色調と、現実に大真面目に作られたはずの先端のフィギアの持つ意図しない可笑しさは、理屈抜きのナンセンスである。《大優勝》と題された長さ9メートルの高さに伸びるトロフィはどのような勝利（トライアンフ）を飾るのだろうか。そこにはオルディンバーグの布製の扇風機や壁の電気スイッチのオブジェが持っていた乾いた快活な笑いを感じる。

最も若い世代に属するムラギしマナヴの作品は、コラージュに使われる素材が時間を凝縮することによって、ポップな感覚とレトロな感覚が雑然と同居する。漫画、アナログ・レコードは、けしてアメリカン・コミックスやCDと代替することはない。それは10代から20代前半の若者たちが、古着を最も新しいファッションと感覚するのと同一の感性であるだろう。

自らが演じることや扮装することによって、現代日本の断面を写し取り、作品に創り上げているのが、ニューヨーク在住の森万里子（51ページ参照）である。レプリカントやロボットという近未来の登場人物に変身した作者が、日本社会のティピカルな風俗や光景の現場に登場し創り出す世界は、女性差別や性というきわめて今日的な問題を孕む客体化された日本の自画像でもあるだろう。このとき作品は現実を越え、扮装した作者自身が入り込み生きているもうひとつの現実までも、仮想の現実として人々の前に提示されるのである。この明快なコンセプトとしたたかな存在感、そしてクオリティの高い仕事は、海外での評価の高さを充分に納得させるものといえるだろう。

この時代の疾走する感覚が最も強く感得できるのは、小島淳二らによる映像作品である。小島のコンピュータを使って制作されたアニメーション《Destroy Records》、高橋栄樹（えいき）のサンプリングによって映像を小気味好く繋げ、音楽とシンクロする迫力ある《BARRANQUILLA》、さらには寺嶋章之（あきゆき）の都会の映像と洒落た音楽が巧みに組み合わされた《3323〜wander where you wander》、これらの作品には時代そのものが映し出されている。

さて最後に明和電機に触れることにする。村上隆が美術の側からマスへの広がりにこだわるとき、突如美術の外側から企業の強力なパトロネージを受けながら美術へ乱入してきたアーティスト・ユニットがいる。それが明和電機である。メセナというような文化的領域への企業支援といった牧歌的な関係は企業と彼等の間にはない。新聞の全段抜きの広告ポスター、レギュラーでのテレビ出演、CDやヴィデオの発売。強力な資本に支えられた抜群の知名度と人気。借用する側であったアーティスト自身が、いつの間にか借用されるアイドル歌手や漫画のヒーローたちと同じ側に立ってしまっていたという逆転現象が起こっている。これは新しい現実である。

さらに明和電機のスタイルは、これまでの美術のアイデンティティや概念を侵そうとする。大量生産され安価に提供される商品的作品は、唯一無二のオリジナル性とその価値を侵し、個性的であるべき作家のスタイルは、青色の無味乾燥な作業用の制服に侵される。作品自体の古典的なスタイルにもかかわらず、アクションとシステムはきわめてラジカルなものといえよう。

おわりに

「こんな悲しい時代に生きるぼくらに、深刻な美術は似合わない。こんな悲しい時代には、悲しく笑ってやり過ごすしかないのだ。」

身構えて鑑賞することを要求する美術が深刻な美術だとするなら、この展覧会に出品された多くの作品が、こうした美術ではない、フランクでカジュアルな新しい美術のイメージに溢れている。時代は悲しくともこれらの美術は生き生きとこの時代の快活な感性を語り、同時代を生きる人々のシンパシーを得るだろう。そしてここに参集したアーティストの中から、時代を先駆ける者として日本の美術の今後10年の動きを牽引していくアーティストが出てくることは間違いないことであろうし、やがては1990年代の美術を語る上では欠くことのできない重要な美術やアーティストとして美術史に位置付けられていくに違いない

＊1―第二次世界大戦で連合国側に敗戦した日本には、占領軍としてアメリカ軍が進駐し、いわゆる軍国主義的な国家体制が解体され、民主化政策が推し進められていく。この時の多くの日本国民にもたらされたさまざまな権利の総称として、あるいは象徴として自由が声高に叫ばれたが、それは必ずしも絶対的な自由ではなく、アメリカの極東戦略の中での、レッドパージなどで明らかなように限定的な自由であったと解釈されなければならない。

＊2―高度経済成長下の日本における大量生産や大量消費によって、巨大企業となっていった企業の創業者や経営者である、松下幸之助や本田宗一郎、あるいは盛田昭夫などのことを指しているだろう。

＊3―林達夫「新しき幕明き」『群像』1950年8月号、講談社（『共産主義的人間』、中公文庫、1973年、p.108）。

＊4―1995年、AKI-EXギャラリーの桑原正彦個展『石油化学の夢』案内文による。

＊5―私信による。

＊6―村上隆インタヴュー「漫画鏡」『朝日新聞』1995年10月30日。

＊7―村上隆「村上隆から松井みどり氏へのFaxレター」『村上隆展「明日はどっちだ（Fall in Love）」カタログ』、白石コンテンポラリーアート、1994年、p.48。

＊8―松井みどり「村上隆：戦うニヒリスト」同前、p.30。

＊9—「私たちの主体に刷り込まれている、氾濫した映像を消し尽くすことから、それは始まる」（太郎千恵蔵）、『BT（美術手帖）』1996年5月号、美術出版社、p.8。

＊10—同前、p.8。

[『TOKYO POP図録』、平塚市美術館、1996年5月]

ユーモアの彼方——日本の現代美術

笑いのアート・ユニット——明和電機

明和電機と聞いて、すぐさま日本人のアーティスト・ユニットだとわかる人は、かなりの日本美術それも現代美術の事情通だといってもいいだろう。すでに彼等の作品が韓国の展覧会で紹介されているといっても、それを知る人は少なく、大方の人は、英語に翻訳してしまえば、Meiwa Electronics となってしまうユニット名を、ソニーのような、それこそ今をときめく電子機器の製造メーカーのように思い違いをしてしまうかもしれない。

しかし、この勘違いを人に起こさせる仕掛け、つまり電機会社を想起させてしまうような名前こそが、彼等明和電機の基本戦略であり、ユニークなアイデンティティともいえるものなのだ。もともとこのユニット名は、大学で立体を学んだ弟、土佐信道(のぶみち)とサラリーマンだった兄、土佐正道(まさみち)が、ユニットとして活動を始めるに当たって父親の経営した会社の名前から付けたものであり、一種のパロディともいえる。だから、ある意味ではこの勘違いはまったく正当なものなのだ。

明和電機《弓魚1号（NAKI-YX1）》（1993年。写真＝三橋純）

さてこんなアーティストらしからぬ名前を持つ彼等の作品も、作品らしからぬものであるのはいうまでもない。《魚器シリーズ》という作品のすべてには、魚の名前の語呂合わせのようなタイトルが付けられているし、作品そのものも魚や海の生物を模した、一見とうてい美術作品には見えないようなものばかりだからである。しかも魚の頭と尻尾のついた骨型のコードなどなど、思わず笑いが込み上げてきそうな作品だ。

さらに、彼等自身の格好もユニークだ。というのも、洋の東西を問わず、アーティストというものは画一的な服装を嫌い、いかにもアーティストらしい姿をしたいと願うのが普通だろう。しかし、明和電機が選択した服装は、どこにでもある工場の労働者が身に着ける作業服なのだ。パフォーマンスをやるときも、作品を制作するときも、彼等は工場の工員のような姿で現れる。個性的でなければならないというアートの世界の常識に、それこそMeiwa Electronicsの社員と間違われるような画一的な制服姿で、笑いのうちに異を唱えるのだ。

しかし、何といっても彼等の存在を際立たせているのは、その活動の仕方にあるだろう。なぜなら明和電機は吉本興業という、数多くの有名なコメディアンやタレントを抱える日本でも屈指のお笑い系の芸能プロダクションに所属しているアーティストであるからである。[*1] そして彼等はレギュラーで、あの有名な映画監督、北野武の司会するテレビ番組に出演し、芸能人のようにその行動を追っかけるファンが付いているという。むろん彼等は本気で芸能活動を行おうとしているのではない。これはある種の擬態である。そのように装うということは、すなわち、しばしば芸術という高踏的な世界を社会や一般の人々の生活から遊離したものと見做しがちなアーティスト自身の反社会的な在り方に対する、ユーモアに満ちた批評であるともいえるだろう。こうした日本の現代感覚を体現するような方法論を駆使した明和電機の活動は今後大いに期待されるだろう。

新しい絵画的表現としてのユーモア――小林孝亘

さて、作品の中に笑いの要素が入り込む作品や、それらを制作するアーティストはけして明和電機だけではない。日本ではむしろこうしたユーモアや笑いを積極的に自己の表現の一部として取り入れようとする傾向がみられるといえるかもしれない。

たとえば、自らが名画や女優に扮したシリーズで有名な森村泰昌、視覚のイリュージョンや古典絵画などのパロディを作品化する福田美蘭、漫画的な表現やフィギアを作品として提示する村上隆、食をテーマに現代社会批判をユーモアに展開する間島領一、抜群の描写力で現代を独特の視点で描く会田誠、日本の独自性をユーモラスな彫刻で問う中ハシ克シゲ、不安で不気味な笑いが漂う奈良美智などなど。

こうした表現が日本の現代美術に広く浸透している背景には、日本の高度経済成長によってもたらされた消費文化の存在を忘れることはできないだろう。テレビや漫画雑誌、娯楽映画やポピュラー音楽、あるいはヴィデオやテレビ・ゲームなど、非常に広範なサブカルチャーがこうした作品を生み、そして受容される大きな基盤をなしているのである。つまり、アーティストたちが自己の表現のインスピレーションの源泉として、社会に流布するイメージや出来事などを援用するのである。これはかつて芸術が低俗と見做して蔑(さげす)んできた大衆文化の、美術に対する大いなる逆襲のようにもみえる。

ところで、こうした大衆的イメージの操作によって生成するのではない、独自の感覚と対象の解釈から生み出される新たな絵画世界を創出するアーティストがいる。それは小林孝亘(たかのぶ)である。大きな画面いっぱいに描かれ、覗き込むようにしてこちら側からの視線を見つめる犬。大きく開いた瞳。口にくわえた犬用のおもちゃ。遠くに見える犬小屋の前に立つユーモラスで愛らしい姿。現実の風景が単純化され、丁寧な筆致で独自の雰囲気に描かれるこの日だまりの光景は、静かに見る者を引き付けるだろう。

小林の描く世界はつねにこうした静かなユーモアに満ちている。単純な形態と色彩の織りなす柔らかな光には、ありふれた日常を見つめる親密な眼差しがあり、それと同時に薄っぺらな消費社会の脆弱(ぜいじゃく)な在り様ではない、強靭(きょうじん)で存在感溢れた精神が垣間見られる。それは軽薄で騒々しい表現が横溢する中にあって、新しい絵画世界の可能性を感じさせてくれる、まさに精神のユーモアを宿した絵画といえるのではないだろうか。

＊1 ―執筆当時は吉本興業に所属していたが、現在は株式会社として独立し、展覧会、作品制作、ライブ・パフォーマンスなどを行っている。

[『MISULSEGAE（美術世界）』2000年3月号。韓国の美術雑誌に韓国語に翻訳して掲載]

〝絵画的なもの〟と〝彫刻的なもの〟の現在(いま)――東島毅と明和電機

東島毅の至福と危うさ

その瞬間、男の体には快楽の波が襲う。女は身体を硬直させ間断のない呼吸に次第にのぼりつめ、最後の高みの一瞬を迎える。そしてなお果てた身体を繰り返し愉悦の余韻が伝う。この一瞬が人間の感じる最も心地よいもの、あるいは瞬間のひとつであることにおいては男でも女でも変わることはあるまい。

もし「肉体の至福」あるいは「身体の至福」がこうしたものであるとするなら、「精神の至福」の瞬間はいかなる場所にあるのだろうか。

「開放的な素早い描き方、もしくはそのように見える描き方。はっきりと描かれた形態ではなくて、にじんで溶解したようなマッス。大まかで顕著なリズム。激しい色彩。絵具のむらのあるしみ込みや濃度。はっきりと示されたハケ、ナイフ、指、布切れの跡」

グリーンバーグが言うように、これを「絵画的=ペインタリネス」と呼ぶならまさに東島毅(ひがしじまつよし)の絵画はそのひとつの典型であることは間違いない。VOCA賞の受賞者に向けた言葉の中で、建畠晢(たてはたあきら)が東島の作品を「ペインタリーの要素を正当に踏まえた」と評するのも当然のことであろう。そしてその上で推薦者水沢勉は東島の資質について、「物質としての絵画とイメージとしての絵画があい重なる領域を、自在に交通する画家」と述べている。

絵画とはいったい何ものであるのか。「絵画芸術にとって削減し得ないものとは、たった二つの構造の因習もしくは基準のうちに存在」し、「それは平面性と、その平面性を限界づけるものである」。そしてその核心を為すのは、「構造＝コンセプション」であり、「インスピレーション」であり、「直感」であり、何より「趣味」なのだ、という格率。

これらの格率を実践し、それに感応する鑑者や評者を得られることは、東島とその作品にとっては至福であろう。東島の作品の、他のものから際立つような「広く、自在で」ある融通無碍の筆致と色彩と形象。描く者も自らの豊穣な内容に愉悦するように見え、またそれを見る者も「豊かな充足感」や「グラマラスな性格」を看取する。それは格率や基準を知り、その最高の高みで感応した者たち同士にとってのまさに「精神の至福」の瞬間かもしれない。

だが、この至福の瞬間を、もし感応できないとしたら。あるいは格率や基準に無縁であるとしたら。たちまち性的不感症のように絵画的不感症に陥る。何よりも作品は投げ出された存在であり、見るという行為によって初めて捕捉される。絵画においてもその初源は見ることにある。たとえそれが絵画そのものの本性を示すものであっても、格率や基準が内在し、それを知り得なければ理解し得ないとするなら、言語が絵画に先立つことになりはしまいか。さらに何ものも図示しないイメージに満ちた絵画が、見るという視覚だけを頼りにできないとしたら……。事実この種の絵画を「直感主義では堪能できない」とする立場もあるのだ。だから、いま、ペインタリーの後継たる東島も、絵画的なものもその豊穣さを言説されつつも、足元をすくわれかねない危うい位置にあるように見える。

明和電機の危険な賭け

一方、彫刻的なるものも不透明に見える。たとえば1993年ソニー・ミュージックエンタテインメントの第2回アート・アーティスト・オーディションの大賞受賞者であり、昨年(1995年)『第6回ふくい国際ビデオ・ビエンナーレ』(福井県立美術館)等にも参加した明和電機。彼等の創り出したもの以外をすべて捨象してみるとよい。そこに残るのは古典的ともいえる道具仕立てのオブジェだけである。魚の骨の形をしたコード、弓矢、魚眼レンズを仕込まれた眼鏡などなど。

職人的手業の道具、あるいは未成のオブジェとも呼べるような、自立しない事物が散見されるだけにもかかわらず、彼等が美術の世界で際立った存在のように感じられたのはなぜか。それは作品そのものにあるのではないことは自明のことであろう。つまりそれは彼等の在り方、すなわち消費されることを前提に、きわめてラジカルな明和電機というシステムを自ら仕組んだことにあるように思える。

ペインタリーの絵画であれ、彫刻であれ、美術は一般大衆から遠く離れた、特殊な記号とコードが行き来する閉じられた円環の中にあるように見えるといっていいかもしれない。これに対して明和電機は、資本と関わることによりはじめからマスなものを目指し、より広範な大衆へと浸透することを想定する。明和電機の持つ社訓、社歌、制服、商品としての作品、全段抜きの新聞広告、CD制作、ヴィデオ制作、テレビ出演。これら企業の擬態としての演出は、想念しつつもこれまで誰も実現できなかったものである。そしてこの戦略が、文化を蹂躙しながら富と資本の蓄積した日本企業の世界戦略のアナロジーであることに気付くとき、明和のしたたかさを感じずにはいられない。だが、これはひとつの危険な賭けでもあるように思える。すなわちこのとき、明和電機の周りに集まる人々は平穏に美術を見ようとする鑑賞者ではないからだ。貪欲に彼等を喰い尽くそうとする消費者である。安売り商品に群がる消費者のようにパフォーマンスに行列し、テレビタレントの「おっかけ」のように「出待ち」をするファン。この狂態は猛烈な勢いで明和電機を消費するに違いない。この熱気に飲み込まれてしまえば、彼等は流行の中で跡形もなく喰い尽くされてしまうだろう。にもかかわらず、それがいかにはるかに美術とはかけ離れたところにあると意識しながらも、かつてこれまで日本の現代美術が持ちえなかった、ごく普通の人々と交歓するある種の羨むべき情熱と熱気を感じないわけにはいかない。彼等が生き残るためには、おそらくこの消費から逃げ続けることにしかあるまい。遁走である。しかしそれが成功するかどうかも、行き着く先がどこかも、彫刻の将来が不明瞭なままであるように、わからないようにみえる。

〔『月刊美術』1996年8月号、サン・アート〕

洋画による歴史画の試み

「なぜ日本画、洋画という二流分裂が日本絵画に起こったかという問題は、西洋人にとってたいへん興味深いことである。」これはあるアメリカの日本美術史研究者の日本の近代美術に対する言である。ともするとわれわれにとって、この指摘は新鮮に思えるだろう。つまり西洋人ならずとも、日本人にとっても「日本絵画の二流分裂」は実はたいへん興味深い問題なのである。そしてこれが、それぞれのジャンルにおける主題の棲み分け――それは少し乱暴に言ってしまえば、日本的なものは「日本画」に、西洋的なものは「洋画」にという図式になるのだろうか――という日本的特殊事情を生み出す遠因になったように思える。

むろん明治の初期においては、この壁を乗り越えるかのような、洋画による歴史画の試みといった、ある意味では珍奇なものに類する絵画（たとえば山本芳翠（ほうすい）の《浦島図》、原田直次郎の《騎龍（きりゅう）観音》を見よ）が行われたのも事実である。だがこの試みは長くは続かず、結局、洋画はいつのまにか西洋的な主題、たとえばごく普通の肖像画や風景画へと回帰していく。ただここで目を留めておくべきは、この奇態なとも呼べる写実主義の絵画の示してくれた「グロテスクさ」や「キッチュさ」であろう。

今ここで洋画が西洋的な主題に回帰していくといったが、これは適切でないかもしれない。むしろ手を変え、品を変え、洋画はなんとか日本的な主題を歌い上げることができるようになろうと悪戦苦闘したのである。それは安井曾太郎と梅原龍三郎によって「洋画の日本化」として一応の成果と完成を見るまで続けられたというべきであろう。

戦後民主主義と日本的モチーフの喪失

一方、これに対して日本画においては日本的主題の問題はほとんど起こらなかったといっていい。「富士山」「松」「旭日」「鶴」「鯉」など、いわゆる花鳥風月から縁起ものに至るまで、近代国家の形成とともにナショナリズムが高揚すると、日本画の中では日本的な主題はごく当然のものとして称揚され、流布されていったのである。そしてこれらの主題が、生活習慣や道徳、宗教観、歴史、伝統といったものと分かち難く結びついていたものであることには違いない。だが考えてみれば、一定のステレオタイプ化した画題が特定の絵画形式の中で繰り返し称揚されるさまは、それがいかに日常や伝統に結び付いたものとはいえ、近代的芸術の中では不思議なことのように思える。日本画家たちは自我の確立より、すなわち近代的芸術の確立を目指したというよりも、日本美術の伝統や様式的な美意識の系譜に連なることを好んだということだろうか。

だがこの高揚も突然終止符が打たれる。すなわち敗戦という国家の破綻によって、日本画家にとって日本的主題を描くことが深刻な問題となる事態が起こったのである。

戦後日本は民主主義国家として再生する。戦前の家父長的封建制度は崩壊し、倫理観や道徳観、宗教観などを一変させていくことになる。この中で日本的なもの——生活習慣から美徳といった価値観に至るまで——はネガティブなものになり、急速に力を失い、社会の全般から消えていく。戦後日本の歴史は「日本的なるもの」の喪失の過程であったといっても言い過ぎではない。敗戦直後に川端康成が悲痛な思いとともに「あはれな日本の美しさのほかのことは、これから一行も書かうとは思はない。」と述べたことが、そのことをよく現しているだろう。

日本画は明らかに日本的な主題を失った。「富士山」「松」「旭日」「鶴」「鯉」などは、もはや失われたものとして存在しない。だからこそ横山操(みさお)は、昭和30年代に《ウォール街》や《ブルックリン橋》を豪壮な筆法で描かなければならなかったのである。

アメリカを日本画に横山操が描いてから30年以上が経過し、日本的主題を日本画の中から探し出すことがほとんど不可能なまでになった。試みに昨年（1995年）の山種美術館賞の受賞作や出品作を見るとよい。北田克己(かつみ)や内田あぐりのどこに、あの「富士山」や「松」や「旭日」があるのだろうか。「めでたきもの」や「寿(ことほ)ぐもの」たちは、とうの昔に行方知れずとなってしまったのである。

キッチュとしての再生

ところがこうした主題が思わぬところから再生される。それはほとんど唐突といってもいい。たとえば、それは1993年の『第45回ヴェネチア・ビエンナーレ』の「アペルト'93」の会場である。世界の若手アーティストの作品を集めた会場の一隅には、何十匹という「鯉」の群れが出現した。国際的に活躍する日本の若手の現代作家のひとり椿昇(つばきのぼる)の《ゴールデン・ハーモニー》と題されたインスタレーションである。あるいは同じく、ヴェネチア・ビエンナーレに出品した柳幸典には《ヒノマル・イルミネーション》や《バンザイ・コーナー》といった「旭日」のイメージが鮮明に見いだされる作品があるではないか。

すなわち日本の現代美術の最前線に突如として、あの日本的な手段が見いだされるのである。福田美蘭のハート型に変形する「旭日」を描いた《旭日静波》や裏返しになった鯉の泳ぐ《遊鯉》。あるいは中村哲也の金箔を貼った黄金の亀《PEST CONTROL 金亀》。彫刻家中ハシ克シゲの床を泳ぐシリコン製の鯉《Carp》。鉄や銅でできた松の枝が塀越しに覗く《OTOMI》。羽織袴に扇子を手にした眼鏡をかけたブロンズ製の男が、石灯籠の横に佇む《Second Marriage》などなど。

これらは、かつての「めでたきもの」や「寿ぐもの」でもない。どこか異形の「キッチュ」で時代錯誤の「グロテスクさ」すら感じるオブジェや絵画である。この感覚は明治のあの奇態な絵画と共通するものにも思える。だがこの感覚が作品そのものに内在するのではないことに気付かなくてはならないだろう。

ここではこうした日本的主題が、美術のコンテクストの変化とともにポップなもの、あるいはシミュラクルなものとして読み替えられてしまっているのである。すなわち美術の意味が拡張することで、かつて様式として流布した日本的主題が新たな意味を持つようになり、このポップな視覚が対象を「キッチュ」や「グロテスクさ」と捉えるのである。だがそうした再生が、現代日本画における日本的主題の空白と現代美術の中での横逸(おういつ)という好対象の構図の中でより鮮明に見いだされるとしても、日本的主題そのものが、不易なものとして存在し続けるかどうか、その行方は依然としてわからないように思える。

〔『月刊美術』1996年11月号、サン・アート〕

第2章―メディア・アートへの文脈

時代を表すメディア・アート

いま現代美術といわれる世界にメディア・アートという言葉や作品が厳密な定義とともに存在しているわけではない。もともとメディアという語は媒介物や手段といった意味を持つ英語メディウムの複数形であり、一般的にはテレビ放送や通信などのマス・メディアを、あるいはこれらのシステムの中から発信される情報そのものを含めメディアと呼ぶことが多い。これに対して美術の世界では、最新の高度な科学技術を応用したテクノロジー・アートのことやコンピュータや映像を手段や媒介にして制作された作品をメディア・アートと言っている。

歴史的にみれば、時代の先端を行く科学技術が、その時代の芸術と深い関係を持っているということは、けして珍しいことではない。たとえば、19世紀に登場した写真は、当時の印象派の絵画に大きな影響を残している。また立体派(キュビズム)や未来派などは、その理論や作品が、映画や写真など当時の最新の映像技術と深い関連を持っていたことは否定できないだろう。さらに目を転じれば、ルネサンスの巨匠レオナルド・ダ・ヴィンチは、絵画や彫刻を制作すると同時に、解剖学から土木、建築、軍事といった科学技術に精通した万能の科学者でもあった。かつてピエール・フランカステルが『近代芸術と技術』の中で述べたように、芸術と技術の間には対立はなく、造形的思考は科学的・技術的思考と接するところに存在するといっていいだろう。

20世紀後半の技術革新を特徴付けるものに小型化とデジタル化が上げられるという。トランジスタが発明されたのは1948年、さらにその何万倍もの性能を持つCPU（中央演算処理装置）を搭載したコンピュータが、生活の隅々まで浸透するのにたった半世紀を要するだけであった。いまメディア・アートが注目を集めている理由のひとつには、この20世紀の最新の技術の枠が芸術表現の中に集約されているからに違いない。つまりメディア・アートが人間の叡智のフロンティアにあるからにほかならない。

ところで、このメディア・アートあるいはテクノロジー・アートという表現は、これまでの芸術表現や美術とどのような違いがあるのだろうか。

たとえば、絵画や彫刻といった従来の美術作品は、それ自体が見る者の前に確かに存在している。このとき作品は、見る者を作品が自ら拒（こば）むことはなく、誰の前にも同一の、開かれた、かつ客観的な存在としてある。

これに対してメディア・アートは、このような見る者と作品が創り出していた関係を根本的に変質させようとしている。メディア・アートに特化したミュージアムであるNTTインターコミュニケーション・センター［ICC］で行われたICCビエンナーレのグランプリ作品、カナダ人アーティスト、リュック・クールシェヌの《ランドスケープ・ワン》は、4面のマルチ・スクリーンに映像が映し出され、見る者はそれぞれの画面の前に設置されたインターフェイスを通して、映像の中の人物と会話を交わしながらストーリーが展開する作品を体験的に楽しむものである。つまりこの作品においては、見る者がそれぞれ固有のストーリーを体験しているわけで、個々の体験者によって作品の現れ方が異なってくることになる。極端な言い方をすれば、それぞれが別の作品を見ているといってもいいかもしれない。

このとき作品は客観的に存在しない。見る者が能動的に作品に参与し、体験的に作品を構築しなければ、作品は作品として成立しないのである。また同時に作品は作品を能動的に体験しようとしない者を拒むことになる。これはこれまでの造形美術が客観的に存在し、見ようとする者なら誰も拒まなかったこととは大きく異なるだろう。

さらにメディア・アートの最大の特徴を上げるなら、そのインタラクティヴィティ（相互作用性）ということになる。絵画のように色や形態の情報が一方的に見る者に流れてくるものでもなく、映画やヴィデオのように一方的にストーリーが展開されていくのでもない。見る者と作品は相互的に作用しながら、体験的に作品を構築していく。このようにインタラクティヴィティはメディア・アートの作品やその解釈にとって重要な鍵となるだろう。

20世紀後半の技術革新の時代に生まれたメディア・アートが今後どのように展開していくかはわからない。しかし、より多くの支持と理解を得るためには、個性的なアーティストの出現とさらなる技術革新、そして何より作品を作品として成立させていくために不可欠な能動的鑑賞者を必要としていることはいうまでもない。

［『西日本新聞』1998年1月］

無限連鎖／幸村真佐男的世界

かつてある短い海外のSF小説を読んだことがある。それはアルファベットを自動的に打ち続ける1台のタイプライターの話で、そのタイプライターが偶然にもひとつの小説を書き上げる話だ。このタイプライターから自動的にかつランダムに打ち出されるアルファベットは、そのほとんどが文字の羅列であり、言葉にはならずまったく意味を持たない。だが、ひたすら自動的に文字を打ち出していれば、あるとき偶然にも意味のある一綴りの単語を打つかもしれない。それはほんのひとつの単語を打ち出したのち、また無意味なアルファベットの羅列に戻ってしまうかもしれないが、もしかすると偶然にも意味のある単語がふたつ繋がるかもしれない。こうした偶然が重なり、あるとき、意味のある文章が次々と打ち出されてくる。おそらく人は、こんな偶然に満ちた可能性をあり得ないことだと思っても、完全に否定することはできないだろう。そしてついには、このタイプライターから打ち出されてくる文字は、単語になり、文章になり、一編の小説となってしまう。これはそんな小説であった。そしてこのタイプライターが偶然に作り上げた小説の冒頭の文章が、まさに当の読んでいる小説の冒頭と同じであったというのが、この小説の最後の仕掛けとなっていた。

ボルヘスの短編小説「バベルの図書館」の描く世界像とこの短いSF小説の主題は、ある意味でシミュラクラともいえるかもしれない。ここに書き表されている自動の無限連鎖の可能性の魅力――あるいは魔力というべきか――は、現実には起こり得ないであろう出来事が、想像力の範疇の中で現実味を限りなく帯びてくる、不可思議でいささかロマンティックな感覚を与えるだろう。しかし、これがいったん実際に物質的なリアリティを獲得すると、不可思議さやロマンティックというよりは、滑稽味と見方によれば悲惨な趣（おもむき）すら感じられてくる。

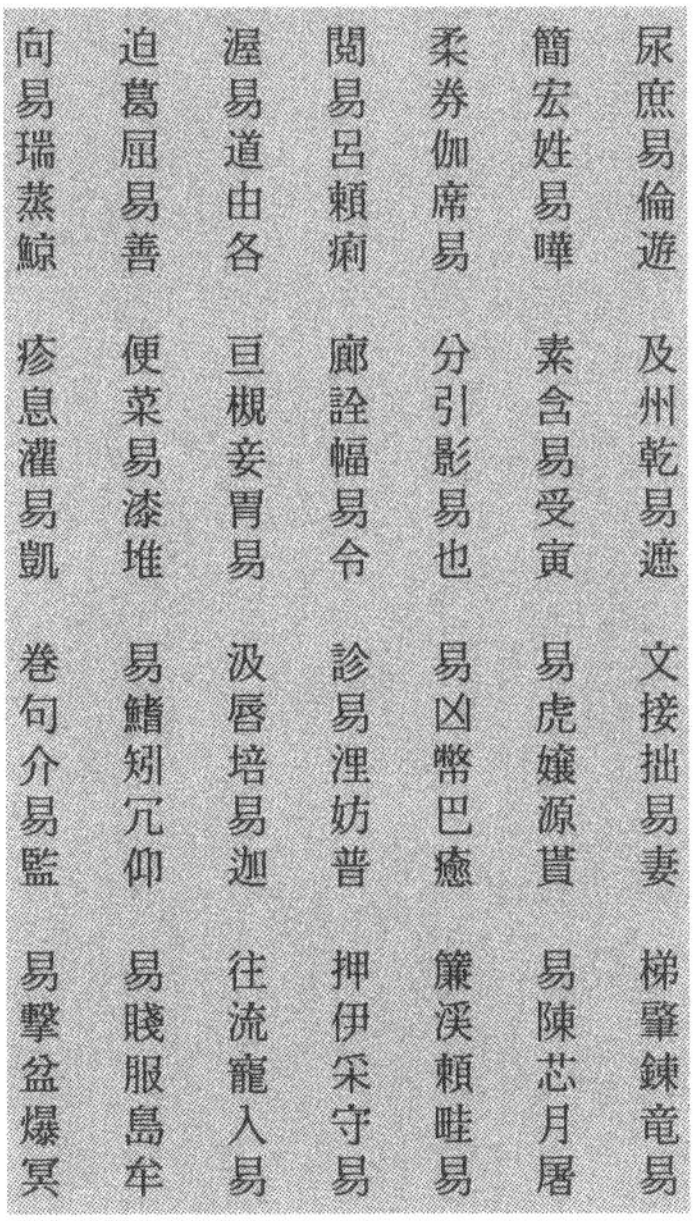

尿庶易倫遊　及州乾易遮　文接拙易妻　梯肇錬竜易
簡宏姓易嘩　素含易受寅　易虎嬢源菖　易陳芯月屠
柔券伽席易　分引影易也　易凶幣巴癒　簾渓頼畦易
閲易呂頼痢　廊詮幅易令　診易浬妨普　押伊采守易
渥易道由各　亘槻妄胃易　汲唇培易迦　往流寵入易
迫葛屈易善　便菜易漆堆　易鮪矧冗仰　易賤服島牟
向易瑞蒸鯨　疹息灌易凱　巻句介易監　易撃盆爆冥

幸村真佐男《五言絶句集》（1986年―）

たとえば、幸村真佐男（こうむらまさお）による《五言絶句集》（1986年―）や《歳時記集》（1992年―）と題された作品から受ける感覚はそれに近いかもしれない。コンピュータを使って非常な速度で紙の上に偶然に打ち出されてくる五つの漢字の組み合わせの集合である《五言絶句集》や五―七―五の文字の組み合わせの《歳時記集》。これらの作品に打ち出されたランダムな文字の組み合わせの中から、言葉の繋がりとして、ある理解可能な意味を持つ言葉を見いだすことは、想像するよりはるかに稀でしかない。そのほとんどは意味の取りようもない、ただ出鱈目としか呼べないような代物だ。

次々とプリンターから繰り出されてくる文字の打ち出された紙の量が膨大になればなるほど、そこには無意味なものの質量が実際に目に見える形で堆積される。このときこの無意味は、救いようのない滑稽さに、あるいは馬鹿馬鹿しさに転化するだろう。なぜならここには情報や知識の中に潜むナンセンスさが感じられるからだ。

人は情報や知識といったものを大量に瞬時に社会に送り出そうとする。技術の革新はつねにこの絶対的量を増やすことに努力が向けられる。このとき、情報や知識の内容そのものが問われることは少ない。そしてその結果起こることは、無意味な情報や知識のそれこそ無限大の氾濫ということになる。ためしにインターネットの情報を見るがいい。何人もの人間の一生を使い果たしても、ここに取り込まれた情報のすべてを見ることは不可能なのだ。しかもここにある情報や知識が有為のものであるかどうかはわからない。これらのほとんどが役立たずの情報や知識かもしれないのである。

幸村真佐男の作品群には、こうした人間の技術の在り方と知識や情報の在り方の、ほとんどシステマティックな陥穽が、無意味な文字列が打ち出され、それらがいかにも書物らしく書籍として製本され、もっともらしく書架に配されるという希代のナンセンスさや馬鹿馬鹿しさの向こう側に、垣間見られるのである。

文字遊戯／徐冰（シュー・ビン）的世界

　われわれはコミュニケーションの手段のひとつとして言葉を使用している。この言葉の使い方にはおおむねふたつの方法があるといえるだろう。ひとつは話し言葉としての言語。いまひとつは書き言葉としての言語であり、それは「文字」として表されるものである。

　話し言葉としての言語は音声言語であり、人間の発声器官を通して「音」として表される。これらの音は人間の発声器官や付随する身体をさまざまに使うことによって、非常に多種多様で複雑なものとなる。同一の言葉を使用する民族によってそれぞれ言葉の中に独自な音があったり、また同一の民族においても地域的な差や時代的な差によって、すなわち空間や時間の違いによって、同じ言葉の発音においてすら微妙な音の差異が生まれたりする。これに言葉の一語一語のアクセントの違いや文章の発音のリズムや音の高低などが加わり、音声言語としての言葉には、同一言語の中においてさえ無限といっていい変化が存在するだろう。さらに話し言葉としての言語が実際に使用されるときには、擬態語や擬音、特別な音の省略など言語的な要素以外の音の要素が加わったり、使う人間の所属する階級や人数など言葉が使用されている状況に合わせ、音の集合として表される言葉はつねに変化していく。このようにして実際に言葉が使われ、コミュニケーションの行われる会話には、その場でしかわからないさまざまで複雑なニュアンスが含められることになる。

　この状況においては、この言葉を正確に記録するには、もはや音としてすべてを記録する以外には方法はないだろう。書き言葉としての言語、すなわち「文字」による記述では、これらを正確に記すことはできない。つまり、人間がコミュニケーションの手段として使用する言葉は、それをそのままにすべて、意味を表す表意文字であれ、音を表す表音文字であれ、いかなる文字によっても正確には表現し得ないといえるだろう。ここで理解されることは「文字」とは、人間の言葉のすべてを表現することのできない、つねに限定された、制限された存在であるということである。

いま電子メディアを中心にこの「文字」、特に「漢字」を巡る議論がかまびすしい。周知のように電子メディア上で現在使用できる漢字には制限がある。JISコードの第1水準、第2水準を合わせた6355文字及びユニコードということになるのだが、これ以外の漢字は使用できない。さらにアメリカの主導によって進められるユニコードが国際規格となると、JISコードの使用が国際規格から外れるため、電子メディアでの漢字の使用が制限され、そのことによって日本の独自の文化が危機に晒されるというのだ。[*1]

だが前述したように、もともと「文字」というものは、人間が他者と意思の伝達をするために使用する言葉のすべてを正確には表現できないのである。現在話し言葉としての言語を、日本語の文字で正確無比に書き表すことは不可能である。大阪弁で発音された「こんにちは」と東京弁で発音された「こんにちは」を書き分けることは不可能である。さらに文字が過去に起こった出来事や事実を書き留める記録としての言語の意味を持つときですら、完全な役割を果たすことはできない。それは日本の古代語をみれば明らかだろう。漢字を使って表記された万葉集の歌の中には、いくつかの読みや解釈が施(ほどこ)される言葉が出てくる。このいくつかの読みや解釈の存在は表現の不完全さにほかならない。こう考えると、電子メディア以前の手書きのメディアであれ、印刷メディアあれ、文字とは「現在」も「過去」も正確に記録し、表記することはできない、ある不完全性を含んだ揺らぎのあるものなのである。

徐冰《天書》(部分)(1991年。写真=桜井ただひさ。写真提供=NTTインターコミュニケーション・センター[ICC])

さらに電子メディア上では、文字の使用が制限されたり限定されたりすることは、何も漢字に限られたことではなく、アルファベットであれ、ハングルであれ、あらゆる文字についてこれに類した問題は程度の差こそあれ起こってくる。端的な話、共通化が容易であろうと思われる欧米語同士の場合であっても、現状ではドイツ語フォントのないコンピュータ上では母音に付されたウムラウトの表記は、たとえ他のアルファベットが正確に表示される英語フォント上であっても文字化けして読むことはできない。電子メールのやり取りの中では、不自由な思いをすると同時に正確さを欠くことになるこうした事態はしばしば起こり得るのである。

基本的にはあらゆる文字の使用の制限なしに、自由に自国語による文章表現が可能であることが望ましいのは事実であろう。しかしもともと「文字」が不完全さを内包した揺らぎある存在であり、すべてを表現し得ないのだとしたら、いささか楽観主義的にみえるかもしれないが、あとは限りなく「すべてに」近付く方途を考えていく以外に解決の道はないのではあるまいか。つまりこれは技術の革新の問題であるように思える。

こうした電子メディアに関わる「文字」の問題が、文化的ナショナリズムと結びつきながら、よりシリアスな議論を展開しようとすればするほど、ユーモアに満ちた疑似漢字を操る中国人アーティスト、徐冰（シュー・ビン）の作品は、この文字の不確かさと揺らぎを見事に逆手にとったものであるように思えてくる。

徐冰が作品《天書》（1991年）で作り出した4000字に及ぶ疑似漢字は当然のごとく漢字コードには含まれてはいない。いまも、そしてこれからも、発音も意味も持たないこれらの文字が、キーボードの操作によって電子メディア上に表されることはけしてないだろう。これらの作品は書物の形態をしていながら、「いっさいの知を含まない文字」によって書かれているために、メディアにとってはまったく無に等しい。なぜならそれ自体においては媒介の対象ともならないし、またそれ自体は何ものをも媒介することはできないからである。

これに対して《新英文書法入門》（1996―98年）は電子メディアでの表現を可能にする。もともとコード化されているアルファベットを漢字の部首のように書き分け、それらを四角い漢字的体裁へと変換していく作品だから、レイアウトの問題を除けば、けして容易なことではないが、実現不可能なことではない。キーボードによってアルファベットを打ち込むと、徐冰の作り出した「漢字アルファベット」が、素早くレイアウトされていく。漢字に馴染みのない欧米人にとって、自らの文字が漢字という異文化に変換されていくさまは、魅惑的なエキゾティシズムにほかならないだろう。いやむしろ、漢字を共通に文字として持つ東洋の民であるわれわれだからこそ、アルファベットが漢字的様態に変換されていく様子に、西欧的コンテクストすら、軽やかに東洋的なコンテクストの中へ翻案されていくような錯覚を覚え、この徐冰的文字の遊戯に思わず眩惑(げんわく)、魅了されてしまうのかもしれない。

＊1――文字コードについての記述は執筆時のものであり、現在の状況は異なっている。

［『バベルの図書館図録』、NTT出版、1998年9月］

ブルース・ヨネモト　消滅する記憶——ICCにおける新作から

美術への指向

これまでブルース・ヨネモトは、1976年に制作したフィルム作品《ガレージ・セール》以来、20年以上にわたって3歳違いの兄ノーマンとともに作品の共同制作を行ってきた。今年(1999年)1月にアメリカ、ロサンゼルスの日系人博物館の新館の開館記念に開催されたブルースとノーマンの大規模な回顧展『メモリー・マター・アンド・モダン・ロマンス』において発表された新作の大型のヴィデオ・インスタレーション作品《シリコン・ヴァレー》においても、それは同様であった。

しかし、今回NTTインターコミュニケーション・センター[ICC]で発表される作品は、こうした兄弟によるコラボレーションの枠から離れ、ブルースひとりによって構想され、制作されたものである。

もともと兄のノーマンは、UCLA(カリフォルニア大学ロサンゼルス校)の映画学校で学び[*1]、大学時代から映画制作に対する希望を持っていたが、こうした兄の映画への指向に対して、ブルースは美術に対する興味が強かったといえるかもしれない。

ブルースは、1973年から75年にかけて日本の創形美術学校に留学し、そこで写真と版画の勉強をしている。また帰国後、1977年から79年の間在学したオティス美術研究所の大学院では、美術理論を学ぶ一方、評論家ジェルマーノ・チェラントに教えを受けたことによって、[*2]チェラントの主導したアルテ・ポーヴェラ[*3]の理論や実践に少なからず影響を受けたという。このように、現代美術との接点は兄ノーマンより多く、フィルム制作のコラボレーションから始まった彼等の活動が、ヴィデオ・インスタレーションなどさまざまなインスタレーション作品の制作へと展開していったのは、やはりブルースの美術に対する指向が大きかったからであるように思える。

こうした傾向、すなわち美術的表現への関心や興味は、これまでに制作された作品の中では、《ゴールデン》（1993年）、《アクローム》のシリーズ（1993年）、《テレビ・ランプの定義》（1984―99年）などによく現れている。ここでは、物自体の即物的な存在が、作品を作品として成立させる契機となっており、このようなレディ・メイドの手法に近い作品や、素材の物質性やオブジェ的性向の強い作品は、主にブルースの考えが反映された作品であるといっていいだろう。

《スクリーン・セーヴァー》

さて、今回発表される作品の中で最もオブジェ的性格が強いのが、《スクリーン・セーヴァー》と題された作品である。

ブルースの最初の構想によれば、さまざまな形態のスクリーンを集めたり、取って置いたり、すなわち「save」するという行為に対する関心がその作品制作のモチベーションのひとつであったという。さらに蛍光灯の仕込まれた透明なアクリルのボックスの中に、映写用のスクリーン、コンピュータ、そして障子(しょうじ)という異なる3種類のスクリーンが収められているそのフォルムからも明らかなように、ジェフ・クーンズが80年代のはじめに制作した、アクリルのボックスの中に真空掃除機などを配した一連のオブジェに対するオマージュ的意味合いも感じさせるものである。

映写用のスタンド型のスクリーンは、ブルースにとって最も親しい対象であろう。これまでしばしば、作品制作のモチーフとして使われており、映画を象徴するさまざまな意味とイメージが投影されている。

これに対して日常の生活の中に深く入り込んだコンピュータとその画面、すなわちスクリーン上を動くスクリーン・セーヴァーはテクノロジーの象徴である。しかし、ここに使われるコンピュータは最新のモデルではない。まだ白黒の画面の、メモリーもほんの少ししかない、初期の頃のマッキントッシュであり、またその画面上を動くスクリーン・セーヴァーも、摩天楼に流れ星が降るアフター・ダークの最初期のものである。これらは十数年前の最も進んだテクノロジーの所産であるにもかかわらず、実際に経過した年月以上に古ぼけて見え、そこには骨董的ともいえそうなテクノロジーに対するノスタルジアを感じるだろう。

最後のひとつは、障子である。かつて江戸の絵師、英一蝶[*4]は障子に映る影法師の絵を描き、遊里(ゆうり)に遊ぶ江戸の日常の生活の一駒を生き生きと描写した。この障子は江戸時代ばかりではなく、30年ぐらい前までは、日本のどこの家庭でも部屋の間仕切りであり、子どもたちが影絵遊びをして楽しんだり、スクリーンとして使われていたではないか。しかし、今ではもうすっかり姿を消してしまったこんな遊びの光景と、生活のありふれた建具(たてぐ)。記憶の底を手繰(たぐ)れば、そこにはかつての日本人の暮らしの喜怒哀楽が、映画のスクリーンのように映されていたことを思い出させる。

これらのオブジェにはブルースの関心の在り方と、そこに込められたふたつの意味が見て取れるだろう。ひとつはさまざまなものを映し出すという物質的な存在としてのスクリーン、いまひとつはスクリーンという言葉の持つ歴史的な変遷と地理的隔たりが示す文化的な差異であり、さらには自らの民族的なルーツに対するブルースの抱く自然な感情が見て取れる。あるいはこれらは時間と空間によって作り上げられた「スクリーン」というものに仕組まれた、洋の東西を問わない文明の巧妙な絡繰(からくり)あるいは仕掛けとでもいうべきものであろうか。そしてその意味では言葉の知的なユーモアもここには見いだされるのである。

《タイム・マシン》

H・G・ウエルズのSF小説『タイム・マシン』が、この作品の下敷きになっていることは題名が示すとおりであるが、ブルースによれば、この小説を映画化したジョージ・パル監督[*5]の映画『タイム・マシン』の方が、むしろより直接的な動機となっているという。この映画は、ロッド・テーラーが主演し、タイム・マシンが時間を航行する箇所など、随所に特撮シーンが盛り込まれていた1960年代の初期に製作されたSF映画である。そしてこの特撮の主役が、ブルースの作品に使われている「タイム・ラップス」と「クレイ・アニメーション」であった。

われわれは日常生活の上で、時間が早く流れたり、遅く流れたりすることが、感覚的なものや理論上であり得ても、通常目に見えるような形では経験したことはない。しかし、この映画では、時間を航行するタイム・マシンを、実際に目に見えるように映像で表現しなければならない。そこで用いられた時間を表現する撮影技術が「タイム・ラップス」であり、「クレイ・アニメーション」であった。

「タイム・ラップス」とはどのような技法であるのか。苦学をしながら、この「タイム・ラップス」の撮影技術を研究し、その道の第一人者となったジョン・オットが、「タイム・ラップス撮影の原理は非常に簡単なものです。多くの人たちがよく知っているスローモーション映像のちょうど正反対のものなのです。」[*6]と言うようにけして難しいものではない。たとえば植物の成長する過程を何時間かごとに1コマずつ撮影し、それを通常のスピードで映写する。するとほんの数分の間に何日もかかる成長の過程の時間を縮めて見ることができる。ほんの一瞬で花が咲いたり、植物が枯れたり、雲が空を素早く行き過ぎたり、テレビの科学番組などでよく見る映像である。

一方、「クレイ・アニメーション」は、文字どおり粘土などによって作られた立体物を、1コマずつ少しずつ動かしながら撮影した立体のアニメーションである。製作には時間がかかるが、コミカルな表現やリアルな作り物をすれば、実際には起こり得ない事物の変形や動きを表現することができる。

映画の中では、タイム・マシンが未来に向けて航行している場面で、ロウソクが燃えて時計の針が早く回るカットや、花が花弁を開いて閉じるカットに「タイム・ラップス」が使われ、「クレイ・アニメーション」も同様に花弁が開閉するカットや木に果実が実るカットに用いられている。

こうした場面を受けるようにして、ブルースの作品では、使われる映像の16ミリフィルムとヴィデオの映像の双方とも、ひとつのフレームの中に、「タイム・ラップス」と「クレイ・アニメーション」のふたつの撮影技術によって撮られた映像が、組み合わされて映写される。「タイム・ラップス」では実物の咲いている花が枯れるまで、そして「クレイ・アニメーション」ではやはり人工的に作られた花が枯れている状態から咲いたときまで戻るシークエンスが繰り返される。このふたつの映像は、ただ一瞬だけ同時に同じ状態の映像を映し出し、次の瞬間にはそれぞれが過去と未来という正反対の時間

ブルース・ヨネモト《タイム・マシン》(1999年。写真＝大高隆。写真提供＝NTTインターコミュニケーション・センター[ICC])

へと遠ざかっていく。

一見、映写機やヴィデオ・プロジェクターからの映像をただスクリーンに映す、そっけない映像インスタレーション作品であると思えそうなこの作品は、その意味を読み取ろうとすればするほど、巧妙な仕掛けに驚かされるに違いない。たとえば、ふたつの映像は「生」と「死」を、一瞬に重なる映像は「現在」を、16ミリフィルムが無限にループする映写機は「永遠」を、そして時計型のスクリーンは「時間」を、それぞれ暗示している。ブルースはその制作メモの中で、ビル・ヴィオラの作品に現れる「朽ち果て行く自然」や「避けられない死」に言及しつつ、この作品で「人生の外貌（がいぼう）」や「死や朽ち果て行くことの記憶」についての問題を考えてみたかったと述べている。こうした思いに見る側が気付くことができるかどうかは別にしても、この巧妙な道具立ては、映画作りのプロセスの詳細な部分までを熟知した者にして初めて可能であるように思える。

《花火》

この作品は大型の3面のマルチ・スクリーンとサラウンド・システムを使った映像作品である。正面と左右のスクリーンにまるでゴーストのようにぼやけた映像が浮遊する。よく見るとそれらは映画会社のロゴマークであり、やがてそのうちのひとつ、20世紀フォックス社とおぼしきマークに焦点が合い、さらにそのシーンは壮麗な花火の場面に転換し、祝祭的な雰囲気のうちに暗転し終わる。この一連のスペクタクルなシークエンスが大画面上で繰り返される。この音楽デザインはメイヨ・トンプソン[*7]が担当している。

さてブルースは、フランスの思想家ギー・ドゥボールの次のような言葉――「スペクタクルはさまざまなイメージの総体ではなく、イメージによって媒介された、諸個人の社会的関係である」[*8]を引用しつつ、その制作意図について「物語映画のスペクタクルに満ちた光景と花火を見ているときその周囲にできあがるフェスティバルの共同体的な自然に焦点をあてたい」[*9]と述べている。

ブルースの説明[*10]を解釈すると以下のようなことになろうか。ドゥボールに従えば、映画におけるスペクタクルは、分断された個人や妨げられている対話を前提にしている。すなわち、映画のきらびやかな世界は疎外された人間の分断された姿がその背後にあるというのである。これに対して祝祭的な雰囲気の中で打ち上げられる花火は、それらを見ている者たちの間に自然にある種の共同的な意識を形成していく。この分断と共同という相反する世界を背後に抱く、ふたつのスペクタクルを並置してみたいというのがブルースの構想であった。

さらにここにはもうひとつのスペクタクルをめぐる意味合いがある。それは20世紀の最後を祝福しようとする、セレモニアスなスペクタクルが企てられていることである。このとき20世紀の象徴は、20世紀という言葉がそのままに使われた20世紀フォックスのロゴであることは言うまでもない。20世紀に発展した高度なテクノロジーに支えられた映画、そしてその映画が生み出す20世紀の文化。ここでは映画は近代そのものを表徴するものとなり、それは円環を描くように、分断された個人という20世紀の人間の在り方に戻るだろう。こうした近代の歴史的な所産のすべてが含まれた存在としての20世紀フォックスのロゴは、壮麗な祝祭の炎となって夜空を染め、慶祝のうちに来たるべき21世紀を迎えようとするのである。

消滅する記憶

《タイム・マシン》や《花火》でも明らかなように、映像が作品にとって重要な役割を担っているのは言うまでもない。またそこで扱われている主題は、映像や映画の周辺に生起するさまざまな問題であり事柄である。しかし、映像そのものをどのように扱うかということに関しては、存外、素っ気ないもののように思える。映像には格別のストーリー性も、驚くような出来事もない。むしろそれらはひとつの素材でしかないようにみえる。

とりわけ、映像に対するこうした考え方が強く現れているのは、記録映像を用いた作品である。ブルースはこれらのドキュメンタルな映像を、蓄えられた動くイメージとして捉えているようにみえる。たとえば日系人の婚礼であれ、テレビコマーシャルであれ、イメージは自由に出し入れされ、断片化され、素材として扱われる。その映像を選ぶこと、使うこと自体に大きな意味があっても、その映像の中で演じられている事柄そのものには大きな意味性を感じない。この素材や物質に対する強い指向は、ブルースが洗礼を受けたアルテ・ポーヴェラの考え方や理論が反映されているといっていいだろう。

ところで、もしいま、ブルースの捉えるように映像がこうしたイメージを蓄える装置であるなら、それはひとつの「記憶」である。映像は、鮮明な「記憶」のように記録された瞬間においては、その映像を記録した主体の、また記録された対象のすべての意味が明らかであった。しかしそれらはその瞬間から失われ始め、時間の経過の中で、いまや匿名性の海の中へと消え去ろうとする。ブルースが使う古い映像のぼやけた輪郭のように意味は曖昧になり、映像としての「記憶」は漠然としたものになる。これは物質的なものの、「朽ち果て行く」ものの宿命であるのだろうか。このプロセスに従えば、ブルースの主題とした「朽ち果て行く」こと、それは意味の喪失であり、まさに「記憶の消滅」というべきものであるようにみえる。

＊1—Karin Higa, *Bruce and Norman Yonemoto: A Survey*, in *Bruce and Norman Yonemoto: memory, matter and modern romance*, Japanese American National Museum, January 1999, p.17.
＊2—同前。
＊3—Arte Povera　1967年頃、イタリアのトリノで、ミケランジェロ・ピストレット、ジルベルト・ゾリオらの若手美術家によって始められた運動。直訳すると「貧しい芸術」。美術作品を努めて物質的に還元しようとする、60年代のイタリアから発信された美術動向。ロンドンで刊行されたジェルマーノ・チェラントらのマニフェストにより、インターナショナルな視野を得る。
＊4—はなぶさいっちょう（1652—1724年／承応1—享保9年）　江戸初期・中期の画家。英(はなぶさ)派の祖。狩野派を経て、のち風俗画風に当世都市風俗を活写し新境地を開くが、晩年はまた狩野派風の山水画や景物画、花鳥画を手がけ、佳品を残す。
＊5—George Pal（1908—80年）　ハンガリー出身の映画監督。1940年にハリウッドに進出。立体アニメーションの技法を得意とし、アカデミー賞の特撮部門などで多数の受賞歴がある。

＊6—John Ott, *My Ivory Cellar: the Story of Time-Lapse Photography*, Twentieth Century Press, 1958, p.7.

＊7—Mayo Thompson　1966年レッド・クレイオラ（The Red CRAYOLA）を結成。67年のファーストアルバム「The Parable of Arable Land」でサイケデリック・ロックの創始者として評価される。多くのコラボレーション活動の中でも、70年代中頃の「アート&ランゲージ」とのコラボレーションが美術と音楽との類をみない関係として注目される。

＊8—Guy Debord, *La Société du Spectacle*, Gallimard, Paris, 1992（ギー・ドゥボール『スペクタクルの社会』木下誠訳、平凡社、1993年5月、p.14）。

＊9—ブルース・ヨネモトの未発表の制作メモ（1999年）から引用。

＊10—同前。

〔『ブルース・ヨネモト——消滅する記憶図録』、NTT出版、1999年4月〕

『ICCビエンナーレ'99』の目指すもの

1997年の秋に第1回目のICCビエンナーレが開かれてから2年が経過し、第2回目のビエンナーレが開催される年が再び巡ってきた。この2年という時間が短いか長いかは、物理的な時間の長さに従うというよりむしろ、それぞれの過ごしてきた経験的時間が尺度となり、その長短を決定するようにも思える。その意味では、運営する側のひとりとしてこの展覧会に関わった経験からすると、この展覧会の目的を果たそうとするためには、2年間という時間は、きわめて慌ただしく、またたく間の時間の経過だったといえるだろう。

このICCビエンナーレが企画された理由がいくつかある。ひとつにはメディア・アートといわれる分野は歴史も浅く、作品を制作発表するアーティストの数は他の分野のアーティストの数と比較するとはるかに少ない。したがって、このジャンルの美術が広く一般に認められるようになるためには、まず、多くのアーティストを育てること、なかんずく多くの新しい優秀な人材と才能の発掘が必要であろうと考えられること。

しかもさらに、このような新しい才能の輩出を困難にするふたつの側面がメディア・アートにはある。

それは芸術的着想をメディア・アートの作品として具現化するためには、高度な先進技術に関する知識が必須となったことである。またこれらの電子機器を中心にした高度な機械を自在に調達し使いこなすためには、これらの専門的な知識ばかりではなく、そのためのオペレーションにかかる費用、たとえばコンピュータのプログラミングのための費用といった人件費を含め、ひとりのアーティストの負担ではまかないきれないほど多額の経費がかかること。このふたつの、これまでアートではあまり考える必要のなかった条件によって、ただでさえ就労人口の少ないメディア・アートの世界での、新しい才能の登場はいっそうその困難さを増しているといえる。

このような状況に対して、NTTインターコミュニケーション・センター［ICC］が新しい表現領域の開拓と新人の登場を促すために構想したのが、ICCビエンナーレであった。したがって、上述したふたつの困難な障壁に対しては、技術的な部分での支援、そして制作費に関して1000万円を限度にICCが負担するという、出品アーティストへの、これまでにほかでは例を見ない手厚い支援体制が取られることとなったのである。この支援体制は今回の『ICCビエンナーレ’99』においても継続されている。

さて、周知のように、1997年10月に開催された『第1回展』では、グランプリには、リュック・クールシェヌ（カナダ）の《ランドスケープ・ワン》[*1]が、また準グランプリとしては前林明次（日本）の《AUDIBLE DISTANCE（視聴覚化された「間」）》とシュー・リー・チェン（アメリカ）の《バイワン・ゲットワン》がそれぞれ選出された。これらの3作品はICCの常設展示ギャラリー内でコレクションとして現在（1999年）も展示されており、鑑賞が可能である。彼等のICCビエンナーレ以後の活動をみると、クールシェヌはフィンランドの現代美術館キアズマでこの《ランドスケープ・ワン》の別ヴァージョンの作品を展示したり、また前林も新たに美術大学で教鞭をとることになる傍ら、オーストリアのアルス・エレクトロニカに参加するなど活躍している。それぞれのアーティストのこうした国際的な活動の展開をみると、新しい人材の供給というICCビエンナーレの当初の目的の一部は達成できたといえるのではないだろうか。

さて、『第1回展』の作品応募に際して設定されたテーマは「コミュニケーション／ディスコミュニケーション」であった。これはインターネットなど情報通信システムの世界で急速に広まりつつあった、ネットワーク・システムの中で起こり得るコミュニケーションの可能性と不可能性という問題を先取りした、きわめて時節を得たテーマであったといえるだろう。

今回のテーマ「インタラクション」はフランク・ポッパーがその著書『Art of the Electronic Age』のなかで言及するように、電子時代のアートの属性として最大の特徴を現す言葉のひとつである。いわく、「最近まで、主としてアメリカでは『インタラクション』という語は、アーティストと機器とのインタープレイに限定されていた。しかし現在それは、単なる電気的あるいは電子的装置から、複雑なローカルあるいはワールド・ワイドなオペレーション・ポイントまで延びた、さまざまなネットワークと通じて作られたアーティストと観客との関係に用いられている。このことが、今度は創造的な活動を、建築家や作曲家のようなプロフェッショナルばかりではなく、より広範な公衆が含まれる広い文脈に結び付けるのである」[*2]と。

この言に従えば、「インタラクション」というテーマには、アーティストにとっては作品と自らの関係性についての根源的な問いかけを含むように感じられるかもしれないし、また作品を鑑賞する側においては、鑑賞という行為の中で、作品を媒介にアーティスト自身と結び付く、より親密なファンクションのひとつとして、それを体験することになるだろう。

今回この「インタラクション」というテーマのもとに作品を制作したのは、次の6ヵ国10組のアーティストである。

・モーリス・ベナユン（フランス）《クロッシング・トークス（コミュニケーション・ラフティング）》
・近森基（ちかもりもとし）（日本）《◯［en］》
・ジャン＝マリ・ダレ（フランス）《バ島》
・ケン・ゴールドバーグ＋ランダル・パッカー＋ヴォイツェ・マトゥーシク＋グレゴリー・クーン（アメリカ）《森》
・ペリー・ホバーマン（アメリカ）《タイムテーブル》
・エドゥアルド・カック（ブラジル）《ウィラプル》
・マーティン・リッチズ（イギリス）《インタラクティヴ・フィールド》
・ダグラス・エドリック・スタンレー（アメリカ）《漸近線》

・スタジオ・アッズーロ（イタリア）《ランディング・トーク》
・グラハム・ワインブレン（イギリス）《フレームス》

選出されたアーティストやこれら作品の詳しい講評は審査員評に譲るが、次の2点だけ付言しておく。まず、今回初めてCAVEシステムを用いた作品が出品されたこと[*3]。現在ICCは、常設展示でこの3Dの世界を体験できる数少ない施設として知られているが、新しい作品が発表される貴重な機会となった。また参加したアーティストの顔ぶれが、10年以上のキャリアを持つヴェテランから新人まで幅広いものになったことである。

なお、これらのアーティストの選出にあたっては、左記の推薦者によってあらかじめ候補となるアーティストが推薦された。

・ジャン＝ルイ・ボワシエ／パリ第8大学インタラクティヴィティ美学技術研究所所長（フランス）
・エルキ・フータモ／ラップランド大学美術デザイン学部メディア研究学課教授（フィンランド）
・キム・ホン＝ヒー／美術評論家（韓国）
・バーバラ・J・ロンドン／ニューヨーク近代美術館フィルム、ヴィデオ部門アソシエイト・キュレーター（アメリカ）
・ヘアート・ロヴィング／メディア批評家（オランダ）

・マリア・グラツィア・マティ／MGM Digital Communication s.r.l. 代表（イタリア）
・ヤシャ・ライハート／美術ライター、展覧会オーガナイザー（イギリス）
・森岡祥倫（よしとも）／東京工芸大学芸術学研究科助教授（日本）
・坂根厳夫（いつお）／国際情報科学芸術アカデミー学長（日本）

推薦されたアーティストの中から12ヵ国28名が作品の提案を行い、昨年10月14・15日の両日に左記の審査員による第1次審査会が開かれ、審議の結果、前述の10組のアーティストが選ばれ、今回の出品となったのである。

・ロイ・アスコット／ウェールズ大学（イギリス、ニューポート）とプリマス大学（イギリス、プリマス）芸術工科研究所の共同設立によるインタラクティヴ・アート研究センター（CAiiA-STAR）所長（イギリス）
・ルイーズ・ドンピエール／ハミルトン・アート・ギャラリー、エグゼクティヴ・ディレクター（カナダ）
・ジョン・G・ハンハート／グッゲンハイム美術館フィルム、メディア・アート部門シニア・キュレーター（アメリカ）
・ジェフリー・ショー／カールスルーエ・アート・アンド・メディア・センター（ZKM）視覚メディア研究所所長（ドイツ）

・浅田彰／京都大学経済研究所助教授（日本）
・伊藤俊治（としはる）／多摩美術大学情報デザイン学科教授（日本）
・山口勝弘／環境芸術メディアセンター代表（日本）
・中村敬治／NTTインターコミュニケーション・センター副館長／学芸部長（日本）

また、前記の審査員によって、展覧会に先立ち実施された第2次審査会によって、グランプリ（賞金500万円）にペリー・ホバーマン（アメリカ）《タイムテーブル》と準グランプリ（賞金100万円）にエドゥアルド・カック（ブラジル）《ウィラプル》とマーティン・リッチズ（イギリス）《インタラクティヴ・フィールド》が決定した。

さて、今回のビエンナーレは、世界各地から参加したアーティストによってさまざまなアイデアの作品が発表され、一定の成果を上げたといっていいだろう。しかし、さらにこの展覧会がより充実したものになり、所期の目的を達成するためには、考えるべき課題がないわけではない。たとえば、税制上の問題から、このビエンナーレで制作された作品は、展覧会終了後、解体廃棄されなければならないことや、推薦公募制度による参加機会の制限。また、公募展という制約により、展覧会としての特色が出しにくいことが上げられるだろう。次回このビエンナーレが実施されるのは新しい世紀を迎えたときとなる。これらの課題に答えつつ、新世紀に行われる新しい表現のための展覧会としてさらに大きな役割を期待されるだろう、このICCビエンナーレの存在意義もより確かなものとなっていくのは間違いない。

＊1―《ランドスケープ・ワン》は作品発表時には《風景1》という日本語訳をあてていたが、常設展示される時点で現行の表記に改められた。
＊2―Frank Popper, *Art of the Electronic Age*, Thames and Hudson, 1993, p.3.
＊3―ICCビエンナーレの応募要項にはCAVEシステム（立体視表示システム）の使用に関する規定がなく、今回の出品は、出品アーティストを決定する第1次審査会における審査員の審議を経て、ICCが許可したものである。
補注―文章中の推薦者、審査員などの肩書きはいずれも1999年当時のものである。

［『ICCビエンナーレ'99図録』、NTT出版、1999年11月］

ひとつの物語として――展覧会の生まれるとき

いまニューヨークでは14丁目の精肉工場倉庫街に広いスペースと安い家賃を求めて、レアやテートといった新しいギャラリーができ、意欲的に新進のアーティストたちを扱おうとしている。ポール・ジョンソンという若手のアーティストが、ジャンクな器材を寄せ集めたヴィデオ・スカルプチャーを発表していたのもこのレア・ギャラリーであった。ほんの1週間あまりの滞在期間とはいうものの、ニューヨークは、ブルックリンのイースト地区のギャラリー、あるいはMoMA（ニューヨーク近代美術館）とPS1（ロングアイランド・シティにある現代美術の専門施設）の初めての共同企画による若手アーティストたちの『Greater New York』、そしてナムジュン・パイクのグッゲンハイム美術館でのスペクタクルな回顧展などなど、つねに先端的であろうとするアートのエネルギッシュな場であるようにみえる。この『ニュー・メディア ニュー・フェイス／ニューヨーク』と題された展覧会の企画意図のひとつに、そんな活気溢れたニューヨークのアート・シーンの雰囲気を少しでも感じてもらうことがあったのだが……。

ところで、この展覧会の全体がどのように企画され、どのような意図のもとに構築されていったかを明らかにしておくことは、企画者のひとつの責務といえるだろう。もともとこの展覧会の発端はインディペンデント・キュレーターのT女史がもたらしたふたりのアーティストに関する情報がもとになっている。ひとりはニューヨーク大学（NYU）ティッシュ・スクール・オブ・ジ・アーツの中のインタラクティヴ・テレコミュニケーションズ・プログラム、通称ITPに所属するカミーユ・アッターバックであり、もうひとりはポーラ・クーパー・ギャラリーで作品を発表展示したセレスト・ブルシエ＝ムジュノである。

しばしば他所からもたらされた情報というものは、あまり信頼のおけるものではないことが多い。しかし、このふたりのアーティストと作品に関する情報に関しては次の点で非常に大きな興味を感じたのであった。

それは、今回この展覧会に出品されているアッターバックとロミー・アキタヴの作品《テキスト・レイン》に端的に現れているように、インタラクティヴ・インスタレーションであり、明らかにメディア・アートにカテゴライズされ得るものであるにもかかわらず、非常に優雅で、女性的な感性に満ちた作品であったことである。またブルシエ＝ムジュノの作品も、そのサウンド・インスタレーションとしての高い完成度を有しているばかりか、アッターバックの作品同様に女性に好まれる優美さをそこに感じたのである。

この視点、つまり女性的な感覚の関与という、これまでのメディア・アートの展覧会では考えられることのなかった切り口を、手掛かりのひとつとして展覧会が組み立てられないだろうかと思ったのがその始まりであった。しかもそれをこのふたりのアーティストに関連するニューヨークを中心として……。

しかしながら、そのような決意をした時点で、想定される展覧会の期日は半年あまりを残すしかないという、きわめて厳しいスケジュールの中ですべてが実行されなければならなかった。最初のニューヨークにおける本格的な調査が実行されたのは、展覧会まであと5ヵ月という1999年12月初旬であった。

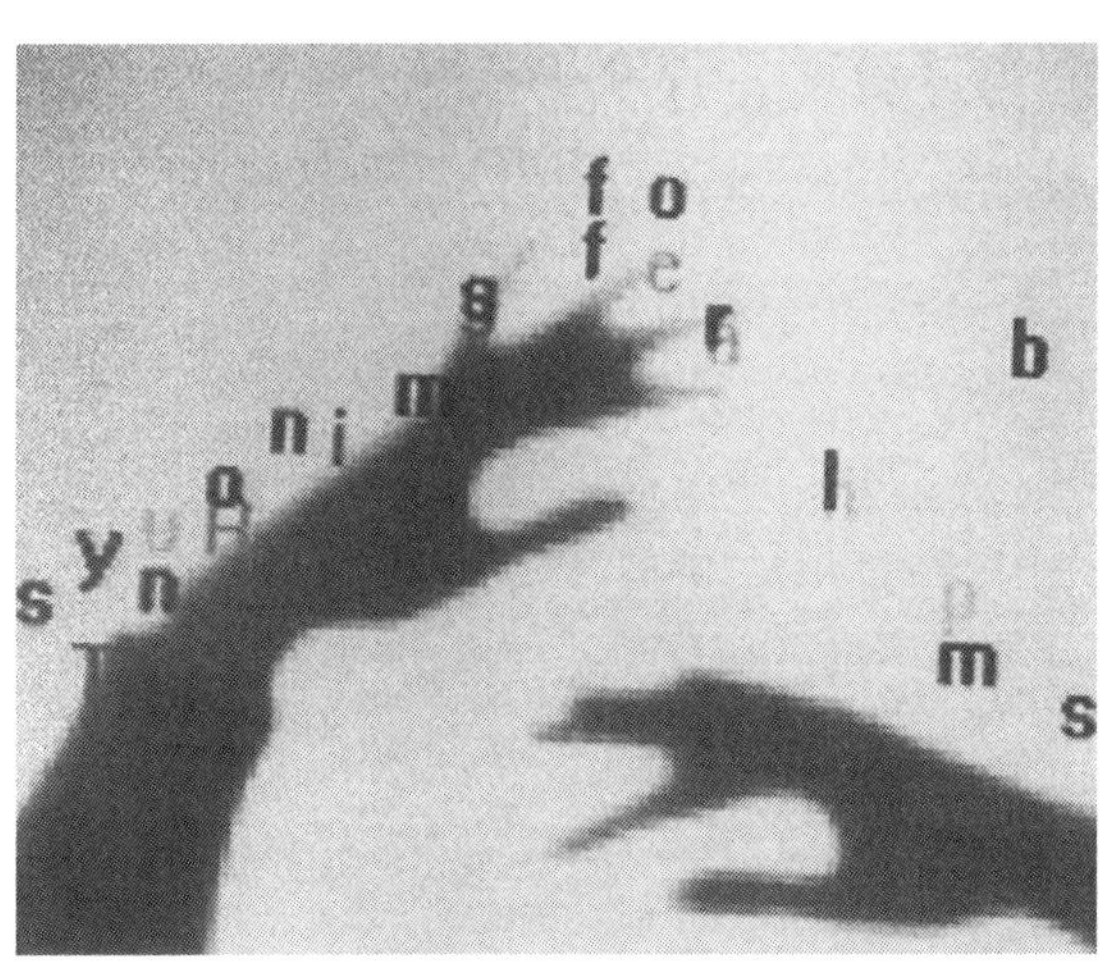

カミーユ・アッターバックとロミー・アキタヴ《テキスト・レイン》
（1999年。“Text Rain” ©1999, Romy Achituv and Camille Utterback）

T女史と私の間で計画されたのは、カミーユ・アッターバックが所属するNYUのITPへの協力要請と、彼女の知るメディア系の老舗ギャラリー、ポストマスターズにデジタル系のアーティストの推薦の依頼であった。だが、事前に用意できたアーティストの資料はあまりに少なく、実質的にはアッターバックとブルシエ＝ムジュノのふたり以外のアーティストに関しては、ニューヨークの調査で実際に作品を見て、参加アーティストを決定するしかなかったのである。

ITPで見たアッターバックとアキタヴの作品《テキスト・レイン》については、文句なく出品に値すると判断された。この作品のプログラムの設計開発のすべてはアッターバック自身の手によって創り上げられたものである。白いスクリーンの上に注意深く選び取られたテキストの一節が現れ、スクリーンの前に立つ人物の映像に緩やかに降り注ぎ、その人物の輪郭上に積もっていく。動き、色彩ともに優雅で繊細この上ない。時折背後をすり抜けていく人物の動きに沿って、文字のひとつひとつが流れていく様にも目を奪われないではいられない作品であった。さらにアッターバックに誘われて、彼女の研究室のモニター上で見た――そのときはまだ開発中であった――光の濃淡を文字によって置き換え映像化する作品は、今回のもうひとつの出品作《コンポジション》として結実している。

さて、このITPはNYUティッシュ・スクール・オブ・ジ・アーツの4階のフロアにあるが、この4階のエレヴェーター・ホールに降り立った途端に目に入った作品があった。ダニエル・ローズィンの《ウッドゥン・ミラー》である。この作品についても、私には一目で作品の質としては出品の基準には充分に達していると判断された。この作品に関しては何の情報もなかったものだっただけに収穫であったといえるだろう。800個あまりの木片に付けられたモーターが瞬時に動き、木片の角度の変化でできる光の濃淡によって、カメラで捉えられた作品の前に立つ人物の映像が現れる。まさに「木製の鏡」であるに違いない。

しかしローズィンにはより興味深い作品があった。彼の部屋に案内された折に、壁に貼られたプリントに目が行った。これらは、ある距離で見ると100ドル紙幣だが、近付くとミッキーマウスの顔であったり、あるいは近くで見るとマリリン・モンローだが、遠くで見るとクリントンといった、ひとつの像の中に二重のイメージが隠された平面作品であった。絵のなかに別の絵が隠されているといったサルヴァドール・ダリの騙(だま)し絵を思い浮かべてもらえれば、どのような作品であるか想像することは容易かもしれない。つまり、人間の目の錯覚を利用した作品である。認知科学の領域における視覚の問題を考えるには格好の作品——内容的にも、また一般の来館者の興味を引くだろう二重の意味において——ではあったが、残念ながら、コピーライトの問題で今回は出品できなかった。

またこのローズィンは日本のIAMAS（岐阜県立国際情報科学芸術アカデミー）で開催された『インタラクション'99』とオーストリアのリンツで開催された『アルス・エレクトロニカ・フェスティヴァル'99』に作品《イーゼル》を出品しており、今回参加したアーティストの中でメディア・アート界でのキャリアのある唯一のアーティストともいえるだろう。

ITPにおける短い調査ではあったが、このカミーユ・アッターバックとダニエル・ローズィンのふたりがITPにおいても優れてアーティスティックな活動を行い得る人材であることは見て取れた。おそらくこれを機会に、このふたりのアーティストがメディア・アートのフィールドで広く国際的な活躍をみせることは間違いないといえる。

さて、T女史からもたらされた情報のうちのもうひとりのアーティスト、セレスト・ブルシエ＝ムジュノについては、いくつもの問題が大波小波のように押し寄せ、出品まで漕ぎ着けるのに最も苦労したアーティストであった。

最初の情報ではニューヨークのアーティストであるとされていた彼が、フランス人であると判明したときには、選ぶことをやめた方がいいのではないかと、すなわち展覧会のタイトルのニューヨークにはそぐわないのではないかと思われた。しかし、PS1で実施されたインターナショナル・レジデンス・プログラムに参加して実際の制作をニューヨークで行っている実績や、さらにニューヨークの持つ人種的多様性も新たな創造活動の生み出される大きな源泉であると考えるときには、むしろ彼がフランス人であることを理由に、この展覧会に参加することができないと考えることの方が不自然のように思えた。そしてそれにもまして、彼の作品の魅力は捨て難く、たとえどのような理由であれ、おそらく私は物理的な困難さ以外の理由によって、ブルシエ＝ムジュノの作品を諦める気には絶対にならなかったであろう。

水色のプールとその中に浮かべられた陶器やガラス器が水流に戯れ、擦(こす)れ合い、ぶつかり合い、奏(かな)でられる音色はたとえようもなく美しく響く。この旋律を会場の主旋律としたい。いや、この展覧会の全体の基調音としたいと考えたのである。

しかしこの目論見が、作品の設置場所をめぐるさまざまな交渉過程で二転三転し、一時はアーティストと私を含めたNTTインターコミュニケーション・センター［ICC］のスタッフが双方とも出品を諦めたときもあったが、最終的にはポーラ・クーパー・ギャラリーのオーナーの尽力で出品できることに決着したときには、本当に安堵の思いに胸を撫で下ろしたのである。

今おそらく、このテキストを読んでいる読者の耳には会場で触れたあの音が心地よく残っているに違いない。それはこんな苦労の結果なのである。

ところで、ブルシエ＝ムジュノの作品はメディア・アートと呼び得るか。答えは明確に否であろう。しかし、彼の作品の成立にはテクノロジーの存在あるいは介在が不可欠である。すなわち、水流を人工的に作り出す技術なしにはこの作品は成立しないのである。水流を発生させる装置やビニール製のプールを含め、この作品のインスタレーションの姿形（すがたかたち）からは、明らかに20世紀後半のテクノロジーに依存し、歴史的過程の必然的な帰結としてこの作品は存在するのであると断言してもよいだろう。まさにこの時代の芸術表現にほかならない。そしてこのブルシエ＝ムジュノも前述のふたり同様に、すでに2000年には海外のいくつかの美術館において展覧会が決定しており、今後大きな注目を得るだろうアーティストのひとりといえる。

さて、ジョン・クリマは今回参加したアーティストの中では最もメディア・アートの本道を行くデジタル系のアーティストといえる。彼はニューヨークのデジタル・アート界のパイオニアであるポストマスターズのタマシュ・バノヴィッチの推薦したアーティストから選んでいる。周知のとおりポストマスターズの歴史はすでに15年以上にも及び、ニューヨークのメディア・アートの動向に関する情報、特にアンダーグラウンドな活動についての情報には精通している。バノヴィッチの敬意を払うべき活動と歴史については、詳しくは本カタログに掲載されているインタヴューに譲りたい。

当初バノヴィッチを通じて提案されたクリマによるプロジェクトは、巨大なプロジェクションと大がかりなインターフェイスを必要とするもので、この展覧会では実現できない規模のものであった。したがって、残念ながらこの提案は丁重に断わらざるを得なかった。

今回の展覧会の作品として選んだのは簡潔でわかりやすいサウンド・インスタレーションである。このジョン・クリマの作品の特徴を上げるなら、それは今回の出品作品の中でも最もヴィジュアル的にデジタライズされた作品であり、円筒型のインターフェイスにプロジェクションされた3Dのデジタル・アニメーションのオブジェクトがあり、これをマウスの操作によって動かすことで、ヘッドフォンから流れてくるサウンドを変化させていく。このクリックによるオブジェクトの移動、そしてサウンドには、ゲーム世代の映像と音楽に対する鋭敏な感覚が表出されており、若い世代がアートに求めるエンタテイメント性のひとつの典型がそこに見て取れるような気がする。

ポストマスターズでは延べ10人以上のアーティストのプレゼンテーションをバノヴィッチから受けたが、幾人かの作品に興味を引かれはしたものの、女性の視点によって選ばれそうなアッターバックやブルシエ＝ムジュノに通じた作品は、クリマのこのシンプルな作品以外、正直なところ見いだすことはできなかった。

このときの調査では他のギャラリーも当たってはみたものの、残念ながらそれ以上の成果は上がらず、結局のところ4人のアーティストをかろうじて選択肢とし得ただけであった。

しかし、実は私にはまったく偶然からこのときニューヨークで目星を付けたアーティストと、以前から自らが企画する展覧会に参加してもらいたいと、もう何年も考えていたニューヨーク在住のアーティストという、どうしてもこの機会に作品を出品したいアーティストがふたりいた。その前者がテッド・

ヴィクトリアであり、後者が中山ダイスケである。

テッド・ヴィクトリアはこのとき、ロックフェラー・センターの一角にある台北ギャラリーで行われていた『時間移民』という展覧会に作品を出品していたアーティストである。

初めて会場で彼のライト・ボックス型の作品を目にしたとき、そこに映し出されている机の上に置かれた時計の像は一見写真のように見えたが、しかし次の瞬間、その時計の秒針が実際に時を刻んで動いているのに気が付いた。この時計は本物なのだ。でもどうしてさして厚くもないボックスの中に、これほど奥行きのある空間を表現できるのだろう。一瞬きつねにでもつままれたような気持ちにさせられたが、やがて、どうやら中に何か仕掛けがしてあり、反射した光によって映し出された箱の中のオブジェを一ヵ所に集め、ひとつの静物画のような像を創り上げていることが想像された。そこに感じた見る者の意表をつく感覚とユーモア。そのとき以来、どうしても彼の作品を日本で紹介したいという思いに駆られてしまったのである。

しかし、彼をこの展覧会に参加させることについては、はじめから全員が了解していたとは言い難い。特にシーモンキーを使った《どなたかいますか?》に関しては、この小さな生物については大いに話題にはなったものの、作品自体にまったくといっていいほどよい反応がスタッフの女性陣からは得られなかった。

しかも、この展覧会のひとつの切り口が女性的視点であるならば、拒絶的な反応はなおのことなのかもしれない。しかし、実はニューヨークで調査に入った時点のかなり早い段階から、この展覧会の狙いをもう少し別な点へシフトさせようと考えていた。それは、これまでのメディア・アートやそれらを集めた展覧会に対する批判的視点を盛り込むということである。このことはけして作品の選択における女性的な感性や視点の介在ということと矛盾することではない。むしろ、今日のメディア・アートの在り方に対した、ある意味では共通の、あるいは関連を持った事柄として記述可能なことでもあるといえる。

しばしば、メディア・アートと称される作品が、コンピュータや使われる機器の性能や機能のみに寄りかかり、肝心のアートとしてのコンテンツのない、いわば見てくればかりの面白さに囚われたものであることがある。つまり、コンピュータや複雑な機器類、それらを複雑なプログラムで制御し、複雑なケーブルによって繋ぎ合わせ、ネットワークによって瞬時に世界のあらゆる場所に存在させること、そういうことが実現できれば、中身はゲームに毛が生えたような代物でも、メディア・アートといい得るような感を与えるが、それはまったくの嘘である。その有り様は中身のない人間が、自らをブランドで飾りたて、それをファッションであると思い込もうとしているのに等しく、ひどく見苦しい。作品は表現されるべき内容があって初めて作品として成立するのである。

たとえば、ヴィクトリアの作品はけしてハイテクと呼ばれるものではない。むしろローテクなものである。箱の中にある小さなオブジェ——彼のスタジオには作品に使うために収集された小物たちをしまったそれは楽しい引き出しがある——を鏡とレンズを組み合わせ、ひとつのイメージに創り上げる。きわめてシンプルな仕組みである。だが、そこには見る者のイマジネーションを掻き立て、不可思議な感覚が湧き上がる、想像力に満ちた世界がある。

そして、このシンプルな仕組みが、一方において大いなる実験の繰り返しの結果であることは想像に難くない。デカルトやライプニッツを持ち出すまでもなく、この実験こそが現実を客観的に意味付けていこうとした近代科学の精神の核心を表す言葉であったことは忘れてはならないだろう。つまり、この意味でいえば、ヴィクトリアの作品は芸術と科学という崇高な精神の系譜に、メディア・アートのそれよりははるかに近い位置にいるのかもしれない。

中山ダイスケ《Under the Table》（1994年。写真＝ダイチ・プロジェクツ）

さて最後のひとりのアーティストとして中山ダイスケにこの展覧会へ参加してもらうことを決めた。彼はけしてメディア・アーティストではない。ICCを彼の作品の発表の場とすることに異論を唱える者もいることであろう。しかし、近年の彼の関心や作品の傾向は、ヴィデオ作品を発表したり、コンピュータ上で作り上げた映像をキャンバスに出力していくといった、テクノロジーと大いに接点を持つようになっている。

立川のリッカーミシンの工場跡地の一

角にあった、つい最近解散したスタジオ食堂のアトリエに彼を訪ねたのは1995年の年末頃だったろうか。このとき以来、いつかは何らかの形で、自分が企画する展覧会に加わってもらいたいアーティストのひとりとして気に掛けてきたのである。それがようやくにしてこの展覧会で実現できたといえる。《Under the Table》はニューヨークのジェフリー・ダイチが主宰するギャラリー、ダイチ・プロジェクツで発表された作品であり、今回はICCのために新たに構成し直したものである。ここで主題となるのは、人間のコミュニケーションの様態であり、それらはテーブルの下で動き回るふたつのボールによって惹起(じゃっき)される音の記憶として表現される。テーブルの上にコーヒーの注がれたカップだけが置かれることによって、人間の消えた空間に存在の気配だけが漂う。彼の作品の中でも完成されたインスタレーションのひとつといえるだろう。この作品は日本未公開の作品であり、初めて日本で展示されるよい機会となった。

この作品が中山の作品のこれまでのものとは傾向が異なるように感じられるかもしれないが、充分注意深く彼の作品を見るならば、各々の作品が何らかの形でコミュニケーションを主題としていることに気付くだろう。

ヴィデオ作品で鋭利なナイフのやり取りを通じて展開される男女の行為は、その研ぎ澄まされた刃物によって象徴されるふたりの緊張した関係の映像化にほかならない。あるいはボクシングをモチーフとした作品には、文字どおりのフィジカル・コンタクト、すなわち、闘い(ファイト)を通して肉体的苦痛や痛みによって捉えられる肉体的コミュニケーションが表現されている。

T女史によってもたらされた最初の一突き、あるいは思い付きを展覧会として成立させることはけして簡単ではない。自分の中に強靭な意志と展覧会に関する具体的なイメージが存在しない限り、その実現は困難である。細部にまで描かれた展覧会のイメージに向かって、現実の展示を収束させていく、展覧会を作るということはそのようなことかもしれない。

だが、もちろんこうした目論見がたったひとりの力で成し遂げられるわけではない。ICC全スタッフと関係するすべてのスタッフのたゆまない努力とこの展覧会を成功させようとする意志の存在なしには、何事も考えられないのは当然のことであろう。もしこの展覧会が多少なりとも成果を上げられたとするならば、そうしたスタッフの力でもあるだろう。

［『ニュー・メディア　ニュー・フェイス／ニューヨーク図録』、NTT出版、2000年4月］

もうひとつの『亜細亜散歩』

展覧会というのは、いくら展覧会を企画するキュレーターの頭の中に、作品展示の細部に至るまでがイメージされていようと、あるいは出品交渉によって具体的に展示作品が決定されていたとしても、また、それがどんなに素晴らしい内容を持った展覧会であったとしても、実際に展覧会として実現できない限り、まったくそれは存在しない、あるいはしなかった展覧会に等しいのである。たとえば、いまここで書かれようとしている展覧会「もうひとつの『亜細亜散歩』」は、まぎれもなくこうした類いの展覧会のひとつであろう。

もともと『亜細亜散歩』は、東京銀座の資生堂ギャラリーが始めたアジアの現代美術をテーマにした展覧会で、これまで1994年、1997年と過去2回、それぞれキュレーターや参加アーティストなどの内容を変えて開催されてきた。この第3回目の展覧会を、資生堂ギャラリーの樋口昌樹さんが、水戸芸術館の浅井俊裕(としひろ)さん、そして当時NTTインターコミュニケーション・センター[ICC]にいた私に声を掛けて、それぞれが所属する3館共同企画の展覧会として2001年8月10日から10月21日まで開催しようとしていたのが今回の『亜細亜散歩』であった。もしこれが当初の予定どおりに3館同時に開催されていれば、それは首都圏のギャラリーと美術館が手を結んで、まったく同じタイトルの展覧会を、まったく同じ会期で開催するという、実に画期的な展覧会となったはずであった。

しかし、今回手にする『亜細亜散歩』展のポスターやチラシには資生堂ギャラリーと水戸芸術館の名前はあっても、残念ながらICCの名前はどこにも見当たらない。

つまり、ICCはこの企画の当初から加わっていたにもかかわらず、また、私がICCを離れることが決まる直前まで開催を予定していながら、結局この展覧会から降りることになってしまったのである。ここでは離脱してしまったICCにおいて、いったいどのような企画が考えられ、どのような内容が展示されることになっていたかを述べたいと思う。それは不幸にして実現することのできなかったこの展覧会、もうひとつの『亜細亜散歩』、つまりICC版『亜細亜散歩』の企画者としてこの「幻の展覧会」を語り得るまたとない機会であるに違いないのだから。

さて、そもそもまったく異なる三つのギャラリーと美術館が共同して、しかも同じタイトルと同じ会期で展覧会を開催するということは、たとえアイデアとしてそれを思い付いたとしても、実現するのは非常に困難なことであることは容易に想像される。それぞれ異なる性格、展示スペースの違い、運営形態の違いなどなど。企画の内容でしのぎを削る近隣の美術館ということを考えると、なおのこと困難であろう。

ところが、この『亜細亜散歩』は、その大前提である「同一タイトルと同一会期」という点においては、企画の話があった当初からほとんど誰からの異論もなく、このことが共通の認識だったような気がする。いやもっと言うと、逆にこのこと以外は、それぞれの館の裁量に委ねられた、非常に緩やかな枠組みの中で、この展覧会が共同企画展として構想されていたといえるかもしれない。そしてこれが、ふだんは実現の難しいこうした展覧会を実行することのできた理由のひとつになっているように思われる。

つまり、共同企画展の意味や意義は何だとか、アジアとは何かとかいった、必ずしも意見が一致しそうにもないことを——もちろんこれらのことを議論しなかったわけではなかったのだけれど——認識の違いや曖昧さをあえてそのままにして、先に進むことを選んだような気がする。

この自由と曖昧さこそ、この展覧会の真骨頂でもあるし、その雰囲気を表しているのが、展覧会タイトルに使われている「散歩」という言葉であるのだろう。気ままに路地を巡り、あてもなく逍遥(しょうよう)する。捜し物をするでもなく、かといってまったくの無目的でもない、ある種の曖昧さ。そしてその中で出会った人や物、事など、それらをきっかけに3人がそれぞれに感じ、考え、議論しつつ、それぞれの展覧会が構想されていったように思う。こうした成り立ちは、この展覧会のタイトルの「散歩」という文字の響きの中でこそ可能であったのではないだろうか。

さて、ＩＣＣではどのように展覧会が構想されていったのであろうか。この当初の計画に参画していた館の中で、最もその性格がはっきりしていたのはほかならぬＩＣＣであった。

NTTインターコミュニケーション・センター、通称ICC。長年メディア・アートと呼び習わされるテクノロジーを使用した美術表現、すなわち、ヴィデオ・インスタレーション、コンピュータ・グラフィックス（CG）などからより先端的なテクノロジー研究の成果が取り入れられたインタラクティヴな作品に至るまでを、その展示対象として扱ってきたメディア・アートの殿堂(!?)。国内での認知はもとより、引きも切らない国外から関係者の見学や問い合わせ、アメリカやヨーロッパのアーティストたちからの作品や展覧会の売り込みなどでもわかるように、国際的にもきわめて認知度の高い施設であった。

しかし、このICCで学芸課長として多くのメディア・アートと呼ばれる作品に接していて、常々感じていたことは、これほどまでに喧伝されている新しさに対して、そこに表現された内容の、作品というのをためらわれるようなお粗末さや未熟さであった。大言壮語するステートメントやメディア・アートの周囲にいる評論家やそのシンパの言説は、アジテーションにも似て到底そのすべてをにわかに信じたいと思わせるものではなく、むしろ声高に語られれば語られるほど、疑わしく思えてならなかったのである。

少し長いが、その辺りのことを書いた一文を上げておく。これはある展覧会のカタログ原稿として用意したものの、結局は別の原稿と差し換え、日の目を見ることのなかったものの一部である。

「日本においてメディア・アートという言葉が、最新の科学技術やコンピュータなどの高度の情報機器を駆使したアート作品のことを示す言葉として使われるようになったのは、けして古いことではない。90年代の初め頃までは、こうした作品の多くはテクノロジー・アートとかハイテク・アートあるいはテクノアートと呼ばれていた。

しかし、それからわずか5、6年の時間の経過にもかかわらず、すでに多くの人にとっては、これらの言葉の持つ「語感」がたとえようもなく古臭いものとなっていることを感じるだろう。ここにはメディア・アートを取り巻く状況のふたつの大きな変化が示されているといえる。ひとつはコンピュータに象徴されるように、今日発売された新製品がたちまち翌日には古くなり、陳腐化してしまうようなめまぐるしい変化ときわめて速い時間の流れがメディアをめぐる環境に存在すること。そしていまひとつはハイテクやテクノロジーという言葉が、技術やそれに使われる機器類に対する関心を端的に表していたとするなら、メディアという語にはその関心が表現された内容に向けられる時代が遅ればせながらやってきたことを意味している。

前者について考えてみるならば、この速度の早さというものが、作られた作品にとって致命的な弱点を与えているともいえる。なぜなら、技術革新のスピードが早ければ早いほど使用していた技術はたちまちに古いものとなり、目新しさや技術それ自体に支えられていた作品の表現も陳腐化していくことは必定だからだ。多くの作品の運命は、斬新な新しさから時代遅れの古臭さに置き換わり、いつの間にか技術の骨董的価値に成り下がってしまう可能性と危険性がある。

それは新しい技術によって作り出された作品が、より新しい技術を使った作品によって乗り越えられていく状況を示している。ネオン管で作られた文字は、LEDの動く文字にと置き換えられ、ゼンマイ仕掛けのタイマーによって制御されていた動きは、コンピュータに管理されたシーケンサーに取って代わられる。やや乱暴な言い方をすれば、表現者としてのアーティスト抜きにして、アーティストの不在の中で新しい技術のみによって新しい作品が生み出されるのだとさえ言いたくなるような状況がそこにはあるだろう。この短期間の技術的な要因で起こる作品の生成と消滅の繰り返しによって、メディア・アートと呼ばれる一群の芸術表現の世界が、これまでの絵画や彫刻といった美術の分野ばかりでなく、さまざまな表現手段を用いて作品の制作が行われているコンテンポラリー・アートの分野までもはるかに凌ぐ活況を呈しているように見えるのは、当然のことかもしれない。だがしかし、その内実が単に古い技術から新しい技術への更新に過ぎないのだとしたら、その表面上の活況とは裏腹に、そこからはけしてメディア・アートの幸福な未来を想像することはできない。そしてそこに技術の存在のみが強調されるような事態が起こるなら、メディア・アートの足元には巨大な陥穽が潜んでいるといえるだろう。」

とはいうものの、こうした作品のうちのいくつかには、テクノロジーの新しさだけではない部分に魅力を見いだし得る作品も、わずかではあるが存在する。またそこに使われているテクノロジーは、けして最先端のものばかりではなく、アナログで時代遅れとも見えるようなものもある。

この『亜細亜散歩』の企画が持ち上がったとき、ICCという館の性格から当然テクノロジーを使ったアートを選ばなくてはいけないとは考えていたものの、こうしたテクノロジーの幅を見せること、すなわち無批判に先進性に特化していくメディア・アートの流れに対した別の見方、ある種のアンチテーゼのようなものを意識していた。しかもアジア地域という、デジタル・テクノロジーの流れからは外れていると思われる地域から、こうした動きを垣間見たいという思いもあった。

ところが、中国、韓国、台湾といった漢字文化圏とも呼べる東アジアで、デジタル・テクノロジーと文化の関わりについて国家的なレベルでの関心が起こっていることに気付かされたこと。たとえば、ソウルで昨年(2000年)開催された『メディア・シティ・ソウル2000』。あるいは台北市が設立を計画するメディア系のミュージアム。このほか、台北にもソウルにも民間資本によるICCの類似施設を作る動きがあったことも上げられようか。

さらに、北京のような西欧文化の流入が制限されていたり、情報から疎外されているように見えるところでも、先端的テクノロジーを自由に使いこなしているアーティストに遭遇したり、パソコンをオフィスに何台か置いてインターネットにリンクしながら情報を発信しているギャラリー、ただし北京の一般市民を対象にしたものではないのだが、そうしたギャラリーの存在に出会ったこと。

すなわち、このふたつの事柄は、よい意味でアジアのデジタル・テクノロジーと文化に対する先入観を裏切ってくれたといえる。つまり、アジア地域がテクノロジーに関してけして後進地域ではなく、むしろ国家的戦略に結び付けられながら、あるいは否応なしに流れ込んでくる技術革新の結果として、確実に先端技術の侵攻に、美術を含めたあらゆる文化的な事象が晒されている地域だということを認識できたのである。

さて、それではこうした状況の中で、実際にどのようなアーティストを選び、どのような作品を展示しようと考えていたのか。

もともとこの『亜細亜散歩』の企画者３人が、１９９７年に行われた韓国の光州ビエンナーレで、顔を合わせたのがきっかけとなったこともあり、最初にアーティストに関する調査が行われたのはソウルであった。事前にソウルにある現代美術の美術館、アートソンジェ・センターのキュレーター、キム・スンジュンさんを介して紹介されたアーティストから資料が資生堂の樋口さんのもとに送られてきており、これらの資料やヴィデオ作品などを見ることになった。しかし、個展の会場でマジック・ショーを始めるアーティストがいたり、ソウルの街をひたすら全力疾走するヴィデオがあったりと、そのときの印象では結構ファンキーなものだった気がする。もちろんこのほか、名前は失念してしまったが、水滴の映る画像をプロジェクションしたインスタレーションやモニターを組み込んだ立体作品を制作しているアーティストなど、いわゆるメディア・アート系に分類されそうなアーティストもいた。だがいずれも、これといった特徴もなく表現が生硬（せいこう）で、参加アーティストとして積極的に選ぼうという気持ちにはならなかった。

したがって、実際に現地調査によって決めることにしたのだが、ことＩＣＣに関しては、結論からいえば、このときのソウルでの調査では参加するアーティストを選んではいない。

というのも、すでに１９９７年の光州ビエンナーレのときに、いずれ機会があればぜひ日本で紹介したいと思っていた韓国のアーティストがいて、はじめから彼を候補のひとりとして目星を付けていたからだった。

コン・スンフン。1965年生まれ。彼は純然たるメディア系のアーティストではない。ソウル国立大学の美術カレッジで絵画を学び、ついでソウル国立工芸大学で電子工学を、さらにソウル国立大学大学院の絵画専攻を修了して、これまでもっぱら韓国国内で作品の発表を行ってきた。

コンの作品は、スライド・プロジェクターを使ったものである。しかもそれは1台だけではなく十数台という数のスライド・プロジェクターを使い、時間差をつけたリレーによって少しずつ部分を映写しながら動きを演出する、いわばスライドを駆使したアニメーションのようなものである。

《Myriapoda》(1997年)では、自分の顔と裸の胴体、そして手足、これらの部分ごとに撮影したスライドが次々と映され、薄暗い部屋の壁にはまるで彼の顔をしたムカデのような虫がコミカルに動いている。おそらく誰もがこの作品を見たときには、そのユーモラスな表現に思わず微笑みを浮かべてしまうだろう。また自分の裸の身体を晒して、これらを分節し、さらに総体として振る舞うという行為は、彼のヴィジュアル・アーティストとはまた別の一面、つまりパフォーマーともいえる資質を感じさせるものである。

技術的な面から見れば、この作品は明らかにハイテクに属するものではない。アナログであり、ノン・デジタルである。しかし手作りのプロジェクターが何台も置かれ、電源コードやリレーのワイヤーが張り巡らされ、プロジェクターが音をたてて画像を映し変えていく様は、レンズを通して見える電球の赤黄色の光と相俟って、インスタレーションの全体が、機械がまだ浪漫的な姿態を見せていた頃を思い起こさせてくれる。

ＩＣＣでは、こうした特徴を生かし、できるだけ大きな空間と大掛かりな装置で、このスライド・プロジェクターを使った作品を見せたいと考えていたが、実現できずに本当に残念だった。機会が得られるなら、いまでもぜひどこかで紹介したいアーティストのひとりである。

韓国からは彼のみを選んだ。

さて中国は、北京と香港を調査した。香港はＩＣＣだけが調査を行ったのだが、日本でも紹介されているアメイジング・ツインズという2人組のデザイナーのユニットに会った。架空の星の住人が登場する彼らのポスターや雑誌のデザインは、レトロな感覚と未来的な感覚がミスマッチし、いかにも今時の若い人たちが好みそうなものである。明らかにコンピュータを駆使しなければできないはずのデザインワークだけに、彼らのキャラクターによるアニメーションや映像を期待しての訪問だったが、彼ら自身がそれぞれ別の事務所を構えることになったことや映像作品の制作の困難さから、最終的に参加アーティストとして選ばなかった。

この香港に先立ち調査を行ったのが北京で、これには『アヴァン・チャイナ』の著作で知られる埼玉大学の牧陽一さんが、水先案内人として同行してくれた。今回の調査のうち最も充実したものとなったと思われるこの北京での調査の成果は、牧さんのおかげというほかはない。艾未未（アイ・ウェイウェイ）、王晋（ワン・ジン）、榮榮（ロン・ロン）、馬六明（マ・リウミン）など、中国北京を中心に起こった、ここ数年の中国現代美術の動向を語るときには欠かすことのできないだろう多くのアーティストの紹介を受けることができた。

これらのアーティストの中でICCが注目していたのは、中国のシニア世代でメディア系の中国人アーティストとして最も知られていた王功新(ワン・ゴンシン)であった。彼は前年にこれまで10年以上も住んでいたニューヨークを引き払い北京に拠点を移したばかりで、北京郊外の彼の自宅兼スタジオを訪ねることができたのは何よりの収穫だったといえるだろう。

北京郊外ののどかな農村地帯の一角の民家。外見は土とレンガでできた普通の住宅のようだが、中に入るとニューヨークの生活そのままに、2階分の高さまで吹き抜けになった大理石を敷き詰めたモダンなスタジオを兼ねた広いホール。奥には中庭を囲んで中国式の寝室や応接間の並ぶプライベート・スペースがある、垢抜けた家だ。日本のアーティストでこれほどまでの住宅に住む者はそうはいるまい。

王功新の奥さんも林　天　苗(リン・ティエンミャオ)というよく知られたアーティストだが、彼女の作品を見た後、彼女が子どもと車で出掛けるので失礼すると言う。どこへ出掛けるのかと聞いたら、子どもをピアノの先生のところに連れて行くのだという答えが返ってきた。どうやら小学校低学年と見える男の子にピアノの個人レッスンを受けさせているらしい。広い敷地に建つコンクリート打ちっぱなしの艾未未の自宅を訪ねたときもそう思ったが、シニア世代の海外からの帰国組は日本のアーティストよりはるかに豊かな生活をしている。物価の安さがその主たる理由とはいえ、これは若いアーティストも含め、世界に直結した在り方、すなわち世界市場に自分の作品を流通させることのできる中国人アーティストの実力の表れに違いない。

王功新はすでに日本の展覧会にも参加したことのあるアーティストである。作品としては、北京の住まいの床を掘った穴の中にモニターを入れ、ちょうど中国とは地球の反対側にあるニューヨークの青空を映し出した作品《ブルックリンの空》（1995年）が知られている。今回のICCでの展示では、大きな空間を生かしたヴィデオ・インスタレーション系の作品を想定していた。彼を訪ねたときには、海外で発表を予定している人の顔がサウンドとともに変形していく作品の映像や、カラオケをテーマにした作品のヴィデオを見せてもらった。おそらく今回の展覧会が実現していれば、こうした作品をアレンジしたものか、新たに制作される作品が展示されたはずである。

彼の作品の特徴は、デジタル・テクノロジーを使うとしても、その技術のみが前面に押し出されてくることはなく、作品のコンセプトとの関わりにおいて十分に吟味され、抑制の利いた使われ方をしている点にある。このことはデジタル世代の若い作家たちのように表面的な新しさに捉われているのとは好対照に、大人の成熟した美術として完成された表現といえるだろう。

このほか、若いヴィデオ・アーティストの趙亮（ツァオ・リアン）を紹介されたが、シングル・チャンネルのヴィデオ作品ということで、インスタレーションを中心に据えた展示構成を考えていた今回の展覧会には向かないと判断して外した。

最終的に中国からは王功新のみを選んだ。

さて残る台湾と日本なのだが、残念ながら台湾についての現地での調査が一切できなかった。しかし、台湾については『ICCビエンナーレ'97』に参加した袁廣鳴（ユェン・グァンミン）と1997年のヴェネチア・ビエンナーレの台湾パビリオンに出品していた呉天章（ウ・ティエンチャン）のふたりにすることにしていた。福岡のギャラリー、モマ・コンテンポラリーの中村光信さんにお願いして、連絡は付けてもらったものの最終的には作家とのやり取りまでには至らなかった。袁廣鳴、呉天章とも新作を出品する可能性が高かったが、機会が失われて残念というほかない。

最後に残った日本だが、ここではメディア・アーティストといわれるアーティストは意識的にひとりも選んでいない。むしろＩＣＣに出品できるのかと訝（いぶか）られるような人選かもしれない。

まず間島領一。食をテーマにしたユーモアと批評精神に溢れたオブジェの制作で知られたアーティストで、最近ヴィデオ作品の制作をしているとはいえ、ＩＣＣとはまったく無縁ともいえる作家だろう。しかし、今回は来館者の映像をハードディスクに記録し、時間差をつけて出力することによって、見るものと見られるものの関係を探ることをテーマにした、最新のテクノロジーを使った作品が構想されていた。

ついで松蔭浩之（ひろゆき）。彼にはミヅマアートギャラリーで発表した《スター誕生》のＩＣＣヴァージョンの制作を依頼するつもりであった。ミヅマのときは、ただマイクロフォンに向かって叫んだ声の大きさに反応して、観客の声が聞こえたり、会場が明るくなったりしただけだったが、もう少しこれらを複雑にして、マイクロフォンで叫んでいる様子が記録されたりする仕掛けを考えて提案をするつもりでいた。

そしてもうひとりは束芋（たばいも）。彼女の場合は旧作での出品を予定していた。

さて以上が、今回の『亜細亜散歩』でＩＣＣが想定していた展覧会の参加アーティストのラインナップであった。韓国のコン・スンフン、中国の王功新、台湾の袁廣鳴、呉天章、そして日本の間島領一、松蔭浩之、束芋の7名。

一瞥（いちべつ）して明らかなように、いわゆるメディア・アート礼讃の展覧会でないことはわかるだろう。しかしだからといって、これらの作品がテクノロジーを抜きにしては成立し得ないのはいうまでもない。またメディア自体を問う作品も含まれる。ここで表現されるのはハイテクな世界ではない。むしろテクノロジーが幻想と夢を紡ぎだしていた浪漫的な世界だ。

北京の旧市街にはいまでも迷宮に迷い込みそうな昔ながらの路地が残る。かつての東京にもそんな路地が存在した。唐十郎や寺山修司が描いた都市の幻惑的世界。このＩＣＣの『亜細亜散歩』は、近未来的に輝くデジタルな都市とはまったく別世界の、そんな迷宮への逍遥となるはずだったのである。

〔『WALK 42号』、水戸芸術館ＡＣＭ劇場、２００１年9月〕

メディア・アートをめぐって

はじめに

　ここ数年来、世界各地で行われる展覧会、あるいは日本国内で開催される展覧会で、メディア・アートといわれる新しいスタイルの美術が登場し注目されている。一般にはコンピュータなど高度なデジタル・テクノロジーを駆使して制作されたコンピュータ・グラフィックス（CG）を使用した映像作品やインタラクティヴ（interactive＝相互作用のある）なインスタレーションなどのことをメディア・アートと呼んでいるのだが、一体このメディア・アートとはどのような美術であり、どのような特徴を持つものなのだろうか。

　また、これらの美術はおおむねメディア・アートに特化した施設、たとえばオーストリアのリンツ市にあるアルス・エレクトロニカ・センター[*1]や日本の東京のNTTインターコミュニケーション・センター[*2]「ICC」など、世界でも限られた場所[*3]においてのみ展示されてきた。それはこのメディア・アートが、展示に際して一般の美術では求められない技術的な専門知識を必要とする特殊な事情に由来するだろう。しかし近年、こうした施設以外の美術館やビエンナーレやトリエンナーレといった国際美術展[*4]でも展示が見受けられるようになった。これはメディア・アートがある特殊な領域の美術ではなく、一般の美術の領域でも市民権を得つつある証左にもみえる。点から面へとその裾野が着実に広がり、これらのアートの存在を知る人々の数も多くなってきたということであるのだろうか。

だが、こうした広がりによってメディア・アートが社会的に認知を受けているようにみえる一方、経済的な理由によっていくつかの専門施設では縮小と廃止が行われたり[*5]、作品の芸術的内容を問う声が聞こえてきたり[*6]、作品の保存性に対する疑問が寄せられるなど、けして順風満帆の明るい将来像がそこに描けているわけではない。どうやら先端のデジタル・テクノロジーに対する期待によって膨らんだ光と、それによってもたらされた明るさの裏にある影の部分がメディア・アートには見え隠れする。

本論では、これまであまり論じられることのなかった、先端的な美術の表現としてもてはやされるメディア・アートの抱える弱点や課題について論究するとともに、この『サイバー・アジア』展に出品するアーティストや作品に触れながら東アジアのテクノロジー・アート、メディア・アートの動向を探ることとしたい。

メディア・アートとは何か?

日本において最新の科学技術やコンピュータなどの高度のデジタル・テクノロジーを駆使したアート

作品を示す言葉として「メディア・アート」という言葉が使われるようになったのは、けして古いことではない。

テクノロジー・アートやメディア・アートに関する特集を行った1993年11月発行の美術雑誌『BT（美術手帖）』[*7]に見られるように90年代の初め頃までは、こうした作品の多くはテクノロジー・アートとかハイテク・アートあるいはテクノアートなどと呼ばれるのが一般的だった。しかし今こうした「ハイテク・アート」あるいは「テクノアート」という言葉を耳にするとき、すでに多くの人にとっては、これらの言葉の持つ「語感」がたとえようもなく古臭いものになっていることを感じるだろう。今や「ハイテク」も「テクノ」もほとんど古語であり死語である。

この「テクノロジー・アート」から「メディア・アート」へという呼称の変化の中で注意を払う必要があるのは、この変化が単なる言葉の上でだけの変化であったというのではなく、メディア・アートを取り巻く環境の変化やその質的な変化を示すものであり、そのことがむしろ逆にその呼称の上にも反映された結果だと見做すべきだろうという点である。

パーソナル・コンピュータに象徴されるように、デジタル・テクノロジーの進展はハードウエアの性能の驚くような向上をもたらし、次いで起こったネットワークやインターネットの情報インフラの整備によって情報技術をめぐる環境は劇的に変化した。しかもこれらすべては誰にも予測できないほどの短い時間に達成され、その様子はまさに電子の流れ、ビットの流れを思わせる高速度の進展だったといえるだろう。

技術革新によって新しい技術を搭載した商品が次々に登場し、店頭に並ぶ最新鋭のコンピュータは毎日のように性能が向上し更新されていく。しかし、その新しさは一方で最も先端的だったはずの機器がたちまちに陳腐化していく姿であり、しかもハードウエアや技術そのものに留まるだけではなく、それらを指し示していた言葉自体をも同時に陳腐化させてしまう。たかだか数年の時間の経過にもかかわらずわれわれが、デジタル・テクノロジーにまつわる多くの言葉に古臭さや時代遅れを感じてしまうのは、これらコンピュータや先端機器によって表徴された言葉が、それら機器自体が新たな技術によって置き換えられてしまったことによって、その表徴する言葉自体も新たな言葉に容易に置き換えられてしまったからにほかならない。このとき言葉は、表徴したモノを押し流していった「時間」の流れ、「速度」に押し流され、呑み込まれてしまったともいえようか。

メディア・アートの「メディア」とは英語の媒介や手段を意味する medium の複数形の media を意味し、情報処理媒体や通信媒体としてのコンピュータをアート表現の中に使用することから、メディアを通して表現される美術を指してメディア・アートと呼称するようになり、[*8] さらにこれが通信ネットワークや、より高次のアーティフィシャル・ライフ（A-Life＝人工生命）やヴァーチャル・リアリティ（VR＝仮想現実）などの高度先端テクノロジーに依拠する表現のほか、コンピュータ・グラフィックスやシングル・チャンネル以上の映像表現を含む、かなり広範囲に及ぶデジタル・テクノロジーを使用するアートの総称として次第に用いられるようになったといえるだろう。

ところで、この「メディア」という語は、日本語では一般的にテレビなどの放送媒体や新聞、雑誌などのマスコミを意味することが多い。「メディアにたたかれる」「メディアを味方にする」などという用例を見てもわかるように、メディアという言葉の使われ方にメディア自体というよりは、そのような伝達媒体の役割や伝える内容に関心が持たれており、テクノロジー・アートからメディア・アートへ、すなわち「テクノロジー」という語から「メディア」という語へとその呼称が変化していった背景には、ツールとしてのテクノロジーからコンテンツとしてのメディアへという変換が、メディア・アートをめぐる環境の中で起こったことを示しているのではないだろうか。ハイテクやテクノロジーという言葉が、技術やそれに使われる機器類、すなわちハードウエアに対する関心を端的に表わしていたとするならば、メディアという語にはその関心が表現された内容そのものに向けられてきたことを意味しているのだ。

メディア・アートという語の一般への浸透は、使われるハードウエアの性能にアートの質が依存していたテクノロジー主導の時代、すなわちモニター上に表せる色数や映像の解像度や速度を誇ったような、メディア・アートにとって牧歌的ともいうべき時代が終わりを告げ、作品で表現された内容そのものの質が問われる時代が遅ればせながらやってきたということである。

メディア・アートの特徴

さて、ここではメディア・アート作品の特徴とはいったいどのようなものであるのか、ほかのジャンルのアート作品と比較しながら考えてみることにする。

まずメディア・アートの最も大きな特徴といえるのが、コンピュータをはじめとした先端的な技術と機器を作品表現に使用するという点であり、作者が作品を制作する場合においても、また鑑賞者が作品を鑑賞する場合においても、こうした技術と機材を媒介にしなければこのアートは成立しないのである。

このことは創作の現場において、これまでの美術とは異なる状況を要請する。たとえば彫刻や絵画の場合のように、芸術家がひとりでみずから作品と直接的に向かいあってきた創作の過程に、作者以外の、たとえばコンピュータの言語を書き込むプログラマーが介在したり、機材のシステムを組み上げるシステム・エンジニアが必要となるように、他者が存在することによって、その作品と制作者である芸術家との関係における直接性が希薄化されてしまう。作品はほとんどの場合コラボレーション、すなわち協同的な作業の結果として成立する。これは、工房的であり、集団的であり、分業的であり、創作の過程が社会化されることである。また、別の言い方をすれば、美術的あるいは造形芸術的であるよりは、演劇的であり、映画的であり、いくつもの労働を集約していく工業生産的な過程といえるだろう。

こうした創作のプロセスの変化は、近代的自我の成立とともに人間の個人の表現として確立された芸術の近代的在り方、それ自体を根本的に変容させてしまうようにもみえる。近代的芸術はとりもなおさず個人と直接に結び付いていた。だがメディア・アートにおいてはこの直接性が失われ、作者の創造における独占的地位は、複数の匿名的で協同的な権利保有者によって管理され、作者と作品との結びつきを曖昧にする。これは大量生産と大量消費という資本主義的な経済構造とデジタル・テクノロジーの出現による時間と距離あるいは空間の圧縮がもたらす世界で進行する、新たな文化構造の変質といえるかもしれない。

アーティストの在り方が変わるとすれば、それを鑑賞する側もこれまでとはその様相を変化させる。この先端的な技術と機材の使用は、鑑賞の形態を変える。コンピュータに蓄積された作品を鑑賞するにはそれらのデータや情報を引き出し、具体的なアクション（行為）を行い、作品に関与するための装置、すなわち芸術的な中身と鑑賞者が対峙できる「インターフェイス」と呼ばれる装置を必要とするのである。こうしたインターフェイス、具体的にはキーボードであったり、マウスであったり、あるいはある特別な仕組みを持った信号の入力装置を介さなければ鑑賞者は作品を鑑賞することはできない。

これは映像作品がスクリーンの前に佇むことを人に強いるよりもいっそう強く、鑑賞者の態度を強制することになる。

これまで絵画や彫刻のような美術は、鑑賞者の態度を強制することはなかった。鑑賞者の前に物理的な存在として現れるこれらは、視覚的な関係性や空間的な関係性において鑑賞者と作品自体を緩やかに結ぶに過ぎない。しかしメディア・アートは、鑑賞者にこうした受け身的態度を許すことはない。常に主体的に、あるいは一定のインストラクション（指示）に従い、能動的に行為することを要求する。鑑賞者が一度鑑賞という行為に入れば、それらは一定の期間、数秒という短時間であれ、何十分という時間であれ、その行為からは逃れることはできない。装着された装置や目の前にあるインターフェイスがそれを許さない。目をつぶり視線を回避すれば目の前から消えた近代の芸術と鑑賞者の関係が民主的であるとするなら、鑑賞者は封建的なそれ、いやより隷属的、奴隷的な関係に捉えられたものともいえるかもしれない。

しかし、このことはまた一方では、その能動的な態度によって、次の段階へと鑑賞者を導くことになるのも事実である。すなわち、インターフェイスを操作するというアクション（行為）を通じて、具体的な関係性が作品と鑑賞者の間に取り結ばれる。鑑賞者が操作するという行為が、作品の次の展開を促し、新しい表現が提示され、そのことがさらに鑑賞者に新しい情動を起こす。この繰り返し、すなわち、インタラクション（相互作用）が作品と鑑賞者の間に成立するのである。この作品と鑑賞者の間で交換されるインタラクティヴィティ（相互作用性）こそ、これまでのアートと異なる最大の特徴とされる。

また、これらの作品の多くはコンピュータのプログラミングなど、そのソフトによってすべての表出形式が決定されている。どのように多様な表情を見せようとも、この根本原理を外れてまったく予期しない形としては、作品は現れない。つまり、作品のすべてはそのプログラムの中にあらかじめ措定されている。

しかしこのことは、どのような作品であれ、その必要な手続きに則れば、何度でも再現が可能であることを意味している。しかもそれはひとつの個別の作品自体の中での再現性であると同時に、同一作品の複製の可能性でもある。たとえばCD-ROMとしていくつもの作品の複製が可能であるように。

かつて1970年代において彫刻作品や版画作品など複数の作品が制作可能な、いわゆるマルチプル作品が、作品のオリジナリティとの問題において論議されたことがあったが、このメディア・アートの再現性と複数性においては、デジタル・テクノロジーの特質としてデータを質的に変化させることなしに、正確かつまったく同一のものとして複製物を制作することが可能である点からすると、刷りの違いや別の紙に刷られているなど、もうひとつ別の物理的な存在として同一物があるという版画などにおける複数性と比べ、より深刻にオリジナリティに関する問題が浮上してくるように思う。

メディア・アート作品の抱える課題や問題点については最後にもう一度論ずるとして、次節以下ではこの展覧会に関わる事柄について述べることとしよう。

東アジアの動向

1991年にキヤノン・アートラボが活動を開始し、1997年4月にNTTインターコミュニケーション・センターが開館するなど、日本がメディア・アートの世界で最も先進的な地域であることは間違いない。こうした流れが生まれた背景には1980年代に蓄積された半導体生産など、デジタル・テクノロジーの分野における日本の高い技術力や国際的に強い競争力があったといえるだろう。すなわち産業、経済の力が、文化的事象の中に新しい科学技術の成果を取り入れていこうとする進取の気質を生み出す原動力のひとつになったと考えられる。

このように先進地域を自認する日本ではあったが、いまや猛烈な勢いで日本以外の東アジア地域からの追い上げにあっているのは、何も経済だけではない。日本以外の東アジア地域でもここ数年、同様に先端テクノロジーの文化、芸術分野への応用についての関心が高まりつつある。たとえば2000年9月から10月にかけて韓国ではソウル市が資金を提供し、『メディア・シティ・ソウル2000』が、メディア・アートやテクノロジー・アートを集めた国際美術展として開催され、『メディア・アート2000』『シティ・ヴィジョン』『地下鉄プロジェクト』の3部門に分かれた展示に国内外のアーティスト100人あまりが参加して評判を呼んだ。[*9] また民間においても「アート・センター・ナビ」のようなメディア・アートやデジタル・テクノロジーに特化した施設がソウルに開設され、オン・ライン・プロジェクトなどネット上で積極的な活動が行われている。

このほか中国の北京や香港でも若いアーティストを中心に映像やコンピュータを使った作品の制作を行う者も多くなり、新しい芸術表現として先端的な技術に対する関心が高まると同時に、こうした作品の発表の場が提供されつつあるといえるだろう。

デジタル・テクノロジーに関わる新しい状況は、ヨーロッパやアメリカなど欧米地域だけではなく、後進的と思われるようなアジア地域においても時間差なく、まさに世界同時的に進行しているのである。

展覧会に参加するアーティストたち

今回の展覧会『サイバー・アジア』（広島市現代美術館）は、２００１年8月10日から10月21日にかけて東京の資生堂ギャラリーと水戸の水戸芸術館で同時に開催された展覧会『亜細亜散歩』に参加する予定だったNTTインターコミュニケーション・センターにおいて構想されていたアジアのメディア・アート展が下敷きになっている。この展覧会は残念ながら実現できなかったが、その詳しい顚末は「もうひとつの『亜細亜散歩』」と題した文章を以前ある雑誌に書いたのでそちらを参照してほしい（本書１２６ページ）。また下敷きといっても中国や韓国などから参加するアーティストの中に、この時構想されていた参加者と重なる者がいる程度で、特に日本人アーティストに関してはまったく違うメンバーとなっており、展示内容の点では別の展覧会だといってもいいだろう。

さてこの展覧会では、日本、中国、韓国、台湾の東アジア4地域のアーティストが制作したテクノロジー・アートとメディア・アート作品を選び展示している。作品の選出にあたっては、メディア・アートのような先端テクノロジーを使った作品ばかりではなく、ローテクとも思えるような技術によって成立している作品を選ぶことによって、テクノロジー・アートとメディア・アートの幅広い表現を紹介できるように心掛けた。ときとして、このような先端的なテクノロジーを使用した作品を展示する展覧会では、表現された内容であるよりは、新しい技術や機材を紹介することが目的ではないかと思えるケースも珍しくない。ここでは、むしろこうした単純な先端性に幻惑されぬよう注意を払いながら、テクノロジーの持つさまざまな可能性に着目している。また、日本のアーティストの場合、実績のあるアーティストからこれからの活躍が期待されそうな若手まで、各世代のアーティストをできるだけ片寄りなく選ぶことによって、これまでの5年間、これからの5年間というものをある程度俯瞰できるようにしたつもりである。このほか、海外アーティストの場合、アジア独自の雰囲気を持つものを意識的に選んでいる。

日本のアーティストの中で、メディア・アートといわれる作品を最も早い時期から発表して注目されてきたのが岩井俊雄である。大学時代に山口勝弘[*11]、幸村真佐男[*12]など、70年代から先端テクノロジーとアートの融合を目指して活動してきたパイオニアたちから薫陶を受けた岩井は、パラパラ漫画などのアニメーションの原理に対する興味から出発し、コンピュータによってエフェクトをかけてリアル・タイムの映像を変化させる二次元的作品から、坂本龍一とのコラボレーションによって知られる電子映像とサウンドを組み合わせたインタラクティヴな作品、あるいはイラストレーターとの合作などさまざまな作品を発表してきた。また国際的な展覧会に出品する機会も多く、アルス・エレクトロニカでの大賞受賞など現在の日本のメディア・アートを代表する重要なアーティストのひとりである。

今回この展覧会には、《Another Time, Another Space ―マシュマロモニター》(2002年)と題された最新シリーズの作品が出品されている。白いマシュマロのような形態をしたオブジェにモニターが内蔵

岩井俊雄《マシュマロモニター》(2002年。写真＝木奥恵三。写真提供＝NTT インターコミュニケーション・センター[ICC])

され、そこにカメラで捉えたリアル・タイムの映像に時間差などの歪みや変化を映像効果として加えた映像が映し出されるもので、かつて制作された《Another Time, Another Space》（1994年）のシリーズとなる作品である。

この作品は鑑賞者が直接インターフェイスを操作するようなインタラクティヴな作品ではなく、公共的な場に設置されることを前提に制作されたもので、これまで展示やメンテナンスあるいは耐久性といった点について問題があるとされるメディア・アートについて、作者である岩井がこうした問題点を考慮しながら制作したものである。モニターを入れる白いオブジェは長期の展示に耐えるものであり、システムの構造は複雑ではなくメンテナンスも比較的容易である。制作にかかる費用や維持管理の利便性など、一般の美術館においてメディア・アートの展示がより簡便となる必要性を認める岩井にとってばかりではなく、これら作品の展示機会の拡張を図ろうとするときには、こうした展示に関わる技術的な問題は避けて通ることはできないだろう。

さらに今回岩井はこの作品で、これまでにはみられなかった作品のオブジェとしての性格を強調する形態を試みている。白い楕円の球体が組み合わされたユーモラスな形態は、これまでの機材やシステムがスケルトンになった構造の作品とは異なり、より彫刻的なものといえよう。そこには子どもたちにも親しまれそうな楽しい造形的な形態を生み出すことのできる岩井の造形作家としての資質が窺われ、今後の展開が期待される。

高谷史郎《optical flat / fiber optic type》（2000年。写真＝福永一夫）

高谷史郎（たかたにしろう）は、パフォーマンスグループ、ダムタイプの映像担当のアーティストとして日本国内ばかりでなく国際的にもよく知られたアーティストである。その作品において最も際立つ特徴を上げるなら、それは洗練された独自の美意識に尽きるだろう。透明で清潔感に溢れ、透徹した映像美だけではなく、今回展示される作品《optical flat / fiber optic type》（2000年、国立国際美術館蔵）の形態や素材——たとえばガラスの脚部や金属のパイプ——にもみられるように、その美意識はコンピュータなどの機材までも含めたオブジェとしてのものの存在にまで貫かれたものである。いわばデジタライズされた世界の、カオス的世界の対極にもみえる、最も上質でミニマルな、結晶化されたオブジェである。

最新作《Voyages》（2003年）の映像にもみられるように、高谷の作り出す映像の中には好んで、地図、計測機器の信号波、記号といったものが使われている。これらは《optical flat / fiber optic type》に出てくる数字の列がアナロジカルに語るように、線形的な数学的秩序の表徴として捉えることができる。かつてスタンリー・キューブリックの名作『2001年宇宙の旅』に描かれた未来のインテリアや空間のモデルが、このリニアな世界の形象化であり、モダニズムの延長上にあったように、高谷の世界も、実はこうしたモダニズム的美意識に近似的な位置にあるのではないだろうか。『2001年宇宙の旅』に描かれた未来的であり、宇宙的であるような形象は、とりもなおさず、数学的秩序であり、それは『スター・ウォーズ』の神話（ミュトス）に傾斜したファンタジーとは正反対の、来たるべき未来のリアリティを追い求めた結果としてのモダニズムにあったといえるからである。

ヒューゴ・ボス賞[*13]にノミネートされたという事実は存外知られてはいないが、八谷（はちや）和彦は、前述のふたりのアーティストが主にメディア・アートに特化した領域で知られた存在であるのに対して、現代美術のアーティストとしてもよく知られている。また、一般的にはメール・ソフトとしてお馴染みのポストペットの開発者としてより知られているだろう。

八谷が近年力を入れてきたのはエアボードの開発プロジェクトであった。映画『バック・トゥ・ザ・

フューチャー』の中で主人公が乗り回す、地面から浮き上がって走行するホバーボードを実際に制作するというのが、このプロジェクトのモチベーションであったのだが、この荒唐無稽にみえる試みは近年ボードの走行実験に成功し実現した。とはいうものの、推力は灯油を燃料とする小型のジェット・エンジンであり、爆音を轟かせて不器用に動く様は、映画のそれとは随分と趣を異にするように思われる。

しかしこのプロジェクトは、この未来の乗り物をそのまま実現する商品開発の実験ではない。あくまでもアートの表現として企てられたものだということを忘れてはなるまい。映画そのままのホバーボードが実現しなくとも、ほとんど無用で馬鹿馬鹿しいとも思われることにエネルギーを費やすこと自体に意味があるのだ。芸術は資本を再生産しない。制作すること自体が自己目的化することによって、経済の論理からすり抜けることこそ芸術の本質だ。もともと対費用効果など芸術の概念にはないにもかかわらず、美術館にこうした論理がまかり通ろうとしているとき、このプロジェクトの構造は、あらためてそれが芸術とはいっさい無縁で理不尽なものであることを明らかにしているといえるだろう。

ユニークな名称である近森基と久納鏡子によるユニットminim++はこれまで紹介してきたアーティストたちの次世代に位置する。

このユニットが認められるきっかけとなった作品は、《KAGE》（1997年）と題された作品のシリーズで、大きなスポットライトにいくつもの円錐が照らし出されて影が写り、この円錐の先に鑑賞者が触れると、円錐の影が花や飛行機の影といったものへと次々と変化して飛び出してくる、楽しい影絵遊びが展開されるインタラクティヴな作品である。明解で単純な作品ではあるが、触れるという行為を容易に促す構造のインターフェイスによって、鑑賞者と作品の間でインタラクションが比較的自然に成立するゲーム的、遊戯的、玩具的な作品といえよう。今回の出品作《Tool's Life—Father's Desk—》(2003年)はこの系統に入る作品である。また、今回の展示でメインとなる最近作の《at〈case sandbox〉》(2002年)も、鑑賞者が展示室を歩き回ると床面にその足跡が現れるという、インタラクティヴで、同様に遊具的、遊戯的作品といえる。

しかしここで注意しなくてはならないのは、ゲーム的であるが故に直ちに商業的なゲームと等価のものであるということではない。楽しみや快につながるという意味において遊びやゲームに等しく、芸術的であるよりは、人々を楽しませ、和ませるという点は娯楽的であり、エンタテイメント的である。

こうした傾向は、minim++よりも後にアーティストとしてデビューしたクワクボリョウタにもみられる。出品された新作《ループ・スケープ》(2003年)は、対戦型のゲームである。サークル状になったLEDに表示される記号をめぐって交わされる鑑賞者同士の戦いは、きわめて個人的な嗜好の強い楽しみや娯楽であり、いわば電脳オタク的な世界の延長線上ともいえるかもしれない。

日本人アーティストの中で最も年少の参加者である鈴木康広は、NHKの衛星放送で放映されている『デジタル・スタジアム』という、デジタル・アートの公募を行う番組での受賞がきっかけとなったほか、フィリップモリス・アート・アワード受賞、アルス・エレクトロニカでの展示、さらにニューヨークのPSIでのグループショー参加など、新人としては異例ともいえるほど順調なスタートを切ったアーティストであり、今後を期待したいところである。

王功新《Mountain Story》（2001年）

中国からは3人のアーティスト、王功新（ワン・ゴンシン）、徐冰（シュー・ビン）、そして馮梦波（フェン・メンボー）が参加している。

この3人の中国人アーティストの中で最も早くから、映像などテクノロジーを使った表現に興味を持ち、こうしたジャンルの作品を発表して制作活動を続けてきたのが王功新である。北京のアトリエの床に穴を掘り、青空の映像を流したモニターをその穴の中に据え付けた作品《ブルックリンの空》（1995年）をはじめとして、東京のワタリウムで1997年に行われた展覧会『中国現代美術展』に出品した《公共の廊下》（1997年）など、テレビモニターに映像を流しインスタレーションとする方法を早くから手掛けていた。また、2002年に東京の東京オペラシティ・ギャラリーで開催されたアジアの現代美術展『アンダー・コンストラクション：アジア美術の新世紀』展に出品された《レッド・ドア》（2002年）にみられるように、近年はコンピュータによって画像を処理し、これらの映像をプロジェクターによって大型のスクリーンに投影する、いわゆる大型の映像インスタレーションを発表している。またその主題は、つねに中国社会の動向と関わりつつ、かつての中国現代美術が標榜した過激な社会批評とは一線を画すとはいうものの穏健な社会批評を含んでおり、単なる先端技術を偏重するテクノロジー・アートではない、内容が充分に吟味された成熟した大人の表現といえるだろう。

中国において現代美術自体の発表が、反権力的と見做され、取締りを受けていた困難な時代から、さらにエレクトロニクス技術ではけして先進地域とは認められていなかった中国で、こうした制作活動を行ってきた王功新は、現代中国美術のテクノロジー・アートのパイオニアとして貴重な存在である。一時期ニューヨークに制作の拠点を移したが、現在は北京郊外に自宅兼制作スタジオを設け、中国で活動を続けている。

徐冰は、テクノロジー・アートをもっぱらに制作するアーティストではなく、いわゆる現代美術の領域で活動するアーティストである。だが、今回出品された作品《New English Calligraphy：Computer Font Project》（1998—2000年）[*14]は、コンピュータ・ソフト制作の日本人エンジニアの協力を得て制作され、コンセプトとそれを表現する方法として選択されたテクノロジーの両者が巧みに融合し、テクノロジーに主導されるのではない作品の在り方をよく示している。もともとはアーティスト自身が、アーティストの作り出した翻案手順に従ってアルファベットの英文字を習字のように、筆によって疑似漢字として書き出していたものであったが、こうした手順のすべてがコンピュータ化され、鑑賞者はキーボードで一綴りのアルファベットを打ち込むことによって、疑似漢字である一塊のアルファベットを手にすることができる。アルファベットの疑似漢字化という、東洋と西洋の文字の形式上のみに起こる疑似的な文化の国際的環流をとおして、コンピュータ時代の現在においてもなお、西洋と東洋の文化的文脈の違いや断絶を明瞭に意識させられる作品といえるだろう。

馮梦波は、中国のコンピュータ世代を代表するアーティストであり、ドクメンタなどの国際展に出品しているほか、日本でも1995年に開催されたアジアの現代美術を紹介する『幸福幻想』展に参加し紹介されている。毛沢東時代の映像や歴史をカリカチュアしたチープなタッチのコンピュータ・アニメーションや、劇場仕立ての舞台設定のモニター画面を前に鑑賞者がインターフェイスを操作して楽しむインタラクティヴな作品など、はじめからコンピュータがその表現の主役となっている。特に中国の革命時代の文物(ぶんぶつ)から取られたキッチュな感覚の映像や表現は、こうした宣撫的(せんぶてき)なものが政治や歴史のコンテクストから切り離され、すでに過去のものとして捉えることのできる中国の若手アーティストならではのものであり、現代中国的、あるいはアジア独自の雰囲気を色濃く反映させたものであるといえるだろう。

韓国のコン・スンフンも、大学で工業系の勉学をしたとはいうものの、メディア系のアーティストではなく、最近の仕事はペインティングである。しかし、1997年の光州ビエンナーレに出品した作品

袁廣鳴《City Disqualified-Hsimen District in Day Time》（2002年）

は非常に印象深いものであった。それは一言でいうなら、スライド・プロジェクションを使ったローテク・アニメーションともいうべき作品である。何十台もの単眼式のスライド・プロジェクターが、on offのリレーに接続され、このリレーのスイッチングによって自動的にスライドが切り替わり、大画面のスライド・アニメーションが展開されるという趣向のインスタレーションであり、これは当時流行りつつあったデジタル・テクノロジーに対する痛烈な批評のようにも思われるものであった。ここにはテクノロジーが作品の内容に先立つ軽薄な技術至上主義ではない、技術と内容の双方の幸福な出会いがあり、フィラメントの赤く発光する電球の光がこぼれ落ちる様が、いまの時代にはもう見捨てられたような骨董的な技術の持つ懐かしい暖かさを表現しているようにみえるのである。

最後に台湾のアーティストを紹介しよう。台湾は東アジア地域ではアーティストが比較的早くから先端テクノロジーについて注目してきた地域といえる。中でも袁廣鳴（ユエン・グァンミン）は最もよく知られた台湾のメディア系のアーティストであり、映像やインタラクティヴな作品をここ数年活発に発表してきた。

特徴的といえるのは、作品が理知的であり、技術にのみ引きずられるのではない意味や内容を明確に持つ作品を制作している点である。たとえば、《Fish on Dish》（1992年）では、皿に投影される映像によって、あたかも水をたたえた皿に金魚が実際に泳いでいるのではないかと錯覚するような状況を巧みに演出し、人間の視覚と先入観をうまく欺きながら、ウイットに富んだインスタレーションを作り上げている。また、最新作の《City Disqualified-Hsimen District in Day Time》（2002年）などの写真や映像作品では、デジタル処理によって消し去られた人や車が象徴する人間の不在の無気味さを、動くもののない無音の世界としてよく表現しているといえるだろう。

さて最後に、呉天章（ウ・ティエンチャン）のキッチュな世界に触れることとしよう。アジア的な味わいを色濃く漂わせる《春宵夢Ⅳ》（1997年、福岡アジア美術館蔵）は、現代美術のファン以外の人にも人気のある作品のひとつである。どこか戦前のアジア的な雰囲気がモノクロの活動写真的な懐かしさで蘇る道具立ての中で、照明とセンサーによって1枚の絵に二重の映像を仕掛ける意外性が鑑賞者を独自の世界に引き込む。ここにも、技術の存在抜きにはこうした仕掛けは成立

呉天章《春宵夢Ⅳ》（1997年。福岡アジア美術館蔵）

しないことは確かであるものの、その技術がけして内容を作り上げるのではない、いわば技術と表現内容の主従関係が明確な在り方があるだろう。デジタルな仕掛けやより高度なセンサーによって、この作品はより複雑に、インタラクティヴに作り上げることは可能かも知れない。だが、もしこの作品がそうしたシステムや技術優位の構造であれば、これは作品であるよりは、ゲームであり、空疎な見せ物でしかないだろう。電飾に安っぽく輝くローテクの光があってこそ、これらの技術を越えたところに浪漫的な情感を見る人に与え、独自の世界や表現を感じさせるのである。

メディア・アートの課題

すでにメディア・アートの特徴を述べた項でも触れてきた点もあるが、最後に作品表現として、この新しい表現形式というものが、どのような問題点や課題を担っているのか簡単に指摘しておきたい。

メディア・アートの持つ最大の特徴は、そのインタラクティヴィティ（相互作用性）にあるという。だが、このインタラクティヴィティこそ曲者（くせもの）といわなくてはならない。すなわち、インターフェイスを通して行われる行為自体が、それらは見かけ上はあたかも作品と鑑賞者の間に相互的な関連性を想起させるが、これらはソフトウエア上に書き込まれた、すべてあらかじめ措定されたものに過ぎず、このプログラムを逸脱して相互作用が起こることはけしてないのである。メディア・アートの標榜する相互作用性とは、ある意味では欺瞞的とすらいえるかもしれない。

しかもこのとき、鑑賞者は鑑賞の形式を強いられる。人間の自然的な感覚器官を用いるのではなく、それらを無理矢理に延長させられる。ヘッドフォン、マウス、ゴーグルのような眼鏡型のスクリーンなどなど。これらによって本来自由であるべき鑑賞者は、主体的態度を強制的に断念させられ、身体的にも精神的にも作品に隷属させられ、自我と自我が対峙する近代的な作品と鑑賞者の関係の廃棄を迫られるのである。

このほか、メディア・アートの生息する領域は、これまでのアートが文化や教育といった非営利的領域にあるようにみえたのに対して、エンタテイメントなどコマーシャルな領域に近接しているようにみえる。これは表現が資本の論理や倫理によって掣肘（せいちゅう）されかねない危うさを持つことを意味するだろう。具体的にはメディア・アートが企業や商品の単なる広告塔になる可能性があるということである。さらに、ゲーム的であるという特徴は、一方で作品のノンセンス性、無意味性を示しており、あらゆる判断を停止（エポケー）する、極論すれば精神の虚無といったものを抱え込んだ作品であるといえるだろう。社会的なメッセージや哲学あるいは思想を表現するものであるよりは、娯楽であり、エンタテイメントとして機能し、鑑賞者をただヴァーチャルな世界を逍遥させ、空想的な、現実逃避の世界に追いやってしまう危険性を孕んでいるといえる。

こうした状況を電脳ファッションと断ずる評論家もいるように、これまで再三にわたって技術が主導するだけにしか過ぎない多くのテクノロジー・アートやメディア・アートの危うさについて述べてきた。

バブル経済とともにその先進性が喧伝され、拡張してきたともいえるテクノロジー・アートとメディア・アートにとって、バブル経済が破綻したいま、テクノロジーそのものの在り方や、テクノロジー至上主義のまかり通る状況から脱却し、真に芸術の表現として生き残ることができるかどうか、真摯にその答えを求めなくてはならない時代が到来したといえるだろう。

本稿は、2001年11月15日に国立西洋美術館において開催されたシンポジウム『イコノテークの未来像——デジタル技術でミュージアムはどこまで変わるか』の報告書として出版された『デジタル技術とミュージアム』(「人文学と情報処理 vol.39」、勉誠出版、2002年5月)に「ミュージアムの近未来」と題して発表した原稿に全面的な加筆訂正を行ったものである。カタログ用の論稿とするために、「展覧会に参加するアーティストたち」など新たに加えた章があるほか、「ミュージアム施設としての課題」のような章は直接カタログの主旨に関係しないのですべて省いた。メディア・アートと展示施設に関する問題に興味のある方は、お手数でも前掲書を一読いただきたい。

＊1—オーストリアのリンツ市内、ドナウ川に面して建つアルス・エレクトロニカ・センターは、1996年6月に開館した「未来の美術館(Museum der Zukunft)」。その活動はすでに1976年から始まるアルス・エレクトロニカ・フェスティバル(補注)に端を発しており、ここではつねに世界のテクノロジーと芸術表現の最も先端的な動向が発表されてきた長い歴史を持っている。建物の内部にはCAVEシステムによるヴァーチャル・リアリティ(仮想現実)を体験できるコーナーのほか、インターネットなどのネッ

トワークを使った遠隔操作によって植物を育てる『テレ・ガーデン』などの作品が常時展示されており、手軽に最新のメディア・アートに来館者は触れることができる。

補注―アルス・エレクトロニカ・センターを中心にリンツ市内のさまざまな施設を利用し、毎年9月、約1週間にわたって行われているフェスティバルのこと。芸術、技術、社会をテーマに開催されてきたが、現在もテクノロジーを応用した芸術作品の展示のほかに、さまざまなシンポジウム、パフォーマンス、コンサートやデジタル・テクノロジー関連企業のプレゼンテーションなどがこの期間に行われている。またこのフェスティバルによって選出される「ゴールデン・ニカ」と呼ばれる大賞はメディア・アートの権威ある賞としてよく知られており、日本人としては岩井俊雄と坂本龍一の共同作品が受賞している。

＊2―1997年4月、電話100周年を記念してNTTが東京・新宿の高層ビル内に設置した科学と芸術の融合を目指した未来型の文化施設。コンピュータなど先端的技術を応用した芸術作品、いわゆるテクノロジー・アートやメディア・アートを展示する展覧会を行うほか、国内外のアーティスト、研究者、科学者などによるシンポジウム、レクチャー、ワークショップなど幅広いプログラムを実施し、こうした分野の先進施設のひとつとして世界的に注目を集めている。特に民間企業の設置した類似の施設はなく、多くのメディア系のセンターやミュージアムが地方の自治体や政府から資金を得て運営されているのに対して、施設の管理から運営のすべてをNTTという単体の民間企業の資金でまかなわれているということが大きな特色といえる。

＊3―ICCなどと並んで最も知られた施設としては、ZKM（Zentrum für Kunst und Medien Karlsruhe）が有名。ドイツのカールスルーエ市の巨大な工場跡地に1997年10月オープンしたアート・アンド・メディア・センター。デジタル時代のバウハウスを目指した、研究所や展示施設などの複合型のセンターである。視覚メディア研究所、基礎調査研究所、ネット開発研究所などの研究施設には、それぞれの研究分野の優れたスタッフが集められている。またセンター内の現代美術館には、絵画や彫刻を含めてヨーロッパやアメリカなど西欧の代表的なアーティストの作品が展示され、メディア・ミュージアムでは特別展やコレクションなどによってメディア・アートの作品が紹介されている。このほか、アーティスト・イン・レジデンスが実施され、海外のアーティストが施設内の機材を使用し、スタッフとのコラボレーションによって作品制作を行っている。

＊4―2001年9月に開催された横浜トリエンナーレには、ステラークやエドワルド・カックといったメディア・アートの範疇に入るアーティストが選ばれている。

＊5―キヤノンが1991年に設置したキヤノン・アートラボが2001年に活動を休止したほか、NTTからNTT東日本に運営が引き継がれたICCも同年に展示の規模を縮小している。

＊6―中村敬治「メディア・アートの危うさ露呈」『読売新聞』2001年4月11日夕刊。
＊7―1993年11月号の美術雑誌『BT（美術手帖）』の特集「アート&メディア・エイジ」の中で、有馬純寿と草原真知子がそれぞれ国内と海外におけるメディア・アートに関するアーティストや施設などの状況について記述しているが、有馬が国内の状況を説明するときに一貫して「テクノロジー・アート」の語を用いているのとは好対照に、草原は「メディア・アート」の語を用いている。言葉としての「メディア・アート」の日本における浸透度を知る上で格好の資料といえるだろう（有馬純寿＋草原真知子「メディア・サーキット」『BT（美術手帖）』1993年11月号、美術出版社、pp.108-114）。
＊8―「いま『メディア・アート』といわれているのは、とくにコンピュータが生まれて以降の通信媒体と情報処理媒体としてのメディアが対象になっているわけですね。」山口勝弘の発言（茂登山清文、山口勝弘対談「メディアがアートを変えるとき」同前、p.72下段）。
＊9―規模は大幅に縮小されたものの、2002年9月から11月にかけて『メディア・シティ・ソウル2002』が第2回展として開催されている。
＊10―小松崎拓男「もうひとつの『亜細亜散歩』」（『WALK 42号』、水戸芸術館ACM劇場、2001年9月、pp.28-36）本書126ページ所収。また、東アジアにおける現代美術の状況などについては座談会「URA亜細亜散歩」（同前、pp.10-26）を参照。
＊11―1928年生まれ。武満徹らと実験工房を結成し活動を始める。一貫して実験的アートの制作を行い、テクノロジー・アートやメディア・アートの先駆的な存在。1977年から92年まで筑波大学芸術学系教授で後進の育成にあたる。
＊12―1943年生まれ。1966年CTG（コンピュータ・テクニック・グループ）を結成。早くからコンピュータを用いた作品制作を行い、大量に無機的に生成される言葉の在り方を問う《五言絶句集》などの代表作がある。
＊13―ファッションメーカー、ヒューゴ・ボス社がスポンサーとなり、グッゲンハイム美術館の組織する国際審査員によって国際的に活躍する現代アーティストが選出される現代美術の賞。日本人では森村泰昌が候補となったことがある。
＊14―NTTインターコミュニケーション・センターで1998年に行われた展覧会『バベルの図書館』にプロトタイプが出品されたのが最初。作品名《新英文書法入門》(Introduction to New English Calligraphy)。

［『サイバー・アジア図録』、広島市現代美術館、2003年2月］

サイバー・アジア展──先端アートを展示する

美術館が展示しようとする美術作品は、絵画や彫刻、あるいは美術館の展示室を大きく使った空間展示、いわゆるインスタレーションといったものを想定しているに過ぎない。さまざまな形態の作品が考えられる現代美術館においても、一般的な美術館とそれは大差はないだろう。

しかし『サイバー・アジア』展は、こうした類いの美術作品とは異なる、コンピュータやデジタル映像機器など先端的技術を駆使して制作、展示される作品、いわゆるテクノロジー・アートやメディア・アートの作品を全館的に展示した展覧会である。

これまでこうした先端的アートはそれらを専門に展示する施設で展示されることが多く、一般の美術館で紹介される機会はあまりなかったといえる。そこには専門施設に特化せざるを得ない、いくつかの理由があるだろう。

まず、これらの作品を展示するためにはコンピュータなどの特別な機材やさまざまな施設が必要であること。さらにこれらを的確にオペレーションできる専門知識を有するエンジニアや技術者がいること。さらには機材レンタル費や技術者の人件費などをまかなえるだけの充分な予算があることなどの条件がある。これらの条件が満たされて初めてテクノロジー・アートやメディア・アートの展示は可能になる。一般的な美術の展覧会のようにただ美術の専門的なキュレーターがいれば充分というわけにはいかない。

しかしいまや先端アートへの関心の高まりやこうした作品を紹介する展覧会の増加などにより、公立の美術館においても展示対象として考えなくてはならない時期がやってきている。

それでは実際に美術館でこれらの作品の展示をする場合に考えなくてはならない事柄には、どのようなことがあるだろうか。このような展示を行いたいと希望している美術館の一助となるべく、具体的な事柄に触れながら、その一端を紹介することとする。

まず、テクノロジー・アートやメディア・アート作品を展示するための器(うつわ)である美術館や展示室がそれに相応しい施設となっているかどうかを検証する必要がある。

周知のようにこうした作品には、さまざまな機材が使われている。コンピュータ、DVDプレーヤーあるいはプロジェクターなどが、良好な状態で稼動できることが不可欠であり、施設としてこのような環境が整うかどうかが第一の課題となる。

たとえば、展示室の天井が重量のある物を支えるのには脆(もろ)い石膏ボード張りであったり、逆に自由に加工のできないコンクリートが直に露出するような場合には、多くの困難が伴うと考えた方がいい。実際『サイバー・アジア』展ではプロジェクターを使用する作品の8割が、天井からプロジェクターを吊り下げなければならなかった。したがってもし天井が石膏ボードのような素材であったなら、今回の展示のほとんどは実現しなかっただろう。

壁はどうであろうか。打ち放しのコンクリートの場合、機材や装置が容易に取り付けられず不向きである。あるいはスピーカーやプロジェクターなどの機材の重量物を支えられないような、薄い可動の壁体しかない場合も難しい。床は電源が容易に取れ、配線が目立たない形で作品の設置が可能か。また複数の機材を使うのに充分な電源を供給できる回路が確保されているかなど細々とした検討が必要である。

要するにここでは、数多く機材を的確に配置でき、かつそれらを安定的に稼動させることができる電源と回路を有する構造物となっているかを確認する必要がある。こうした要件を満たすことが困難である場合には、展示を見合わせるのが賢明だろう。なぜならテンポラリーの展示に、電源確保の工事や壁体の補強など多くの余分な経費を掛けなくてはならないからだ。

さらにこうした作品を全館的に展開するとなると、技術的な要件を展示の細部に至るまで検討し、具体的な機材の選定を行うことのできる技術監修者を必要とするだろう。しかもそれはアーティストとのコラボレーション・ワークとしての性格が強く、単に技術的な事柄に詳しいというだけではなく、創造的な仕事に対する理解力も必要であることはいうまでもない。

実際の仕事はどのように進むのか。まずその技術監修者は、アーティストの使用する機材のスペックとリストと、さらに美術館のキュレーターなどによって作成された展示案を、綿密に検証しなくてはならない。たとえば徐冰（シュー・ビン）の作品では、フロント・プロジェクションを後方からのリア・プロジェクションに変更したことによって生じた画面の大きさとプロジェクターの位置決めのための距離計算、価格を含めたリア・スクリーン用の半透明素材の選定や設計など、あるいはminim++（ミニムプラプラ）の作品ではミラー・サイズや取り付け角度の計算、取り付け器具の設計、さらには業者が手配する機材の性能に関する検証など、個別の作品についてそれぞれ具体的かつ詳細な技術に関する指示を行っている。このほか技術監修者は現場での機材の設置作業の指導をしたり、実際の展示作業を行う。また最終的には運営上の問題点や開催後のメンテナンス、機材の操作に関わるインストラクションの作成など幅広いアドバイスにまで及ぶ。こうした要求に応えることができるのは、機械やコンピュータの扱いに慣れた程度ではない、機材と展示についての専門的な知識を有する専門家でなくては到底困難である。

さて、このように展示準備のごく一部の作業をみても、これまでの展示では考えられなかったさまざまな課題がある。その意味では、一般の美術館でテクノロジー・アートやメディア・アートの作品を展示したり、この『サイバー・アジア』展のような展覧会を行うのは、けして容易ではないかもしれない。しかし先端的アートを紹介していくことは、美術館の魅力を高めていくことでもあり、またアーティストやそれに関わる人たちの真摯な仕事ぶりに接するとき、こうした困難さを越えたテクノロジー・アート、メディア・アートの広まりを期待せずにはいられない。

[「サイバー・アジア展——先端アートを展示する」『THE ARCH(広島市現代美術館ニュース)第25号』、広島市現代美術館、2003年3月]

第3章―国際展とアジアの美術

ロンドン、カッセル、フランクフルト——ヨーロッパ現代美術見て歩き

フランクフルトの中央駅から市電に乗って10分もかからぬ中心街の一角に、昨年(1991年)の6月に開館したばかりのMMKフランクフルト現代美術館がある。この美術館の外観は、通りに挟まれた狭い敷地の関係で、まるでケーキの一切れのような扇形をしている。美術館のマークもエントランスのわきにあるカフェのメニューもケーキ形だ。

2週間ほどのささやかな夏季休暇は、このカフェでしめくくりを迎えることとなった。明日の早朝にはフランクフルトを立ち、ロンドンを経由して日本に戻ることになる。思い起こせば、今回の慌ただしい旅程は、はからずも現代美術の見て歩きとなった感がある。

ロンドンのテート・ギャラリーではイギリス・ポップ・アート界の大御所リチャード・ハミルトンの大規模な回顧展に出会った。ポップ・アートというと、すぐウォーホルやリキテンシュタインなどのアメリカン・ポップが浮かぶのだが、本来このポップ・アートの命名の機縁になった作品を作り出したのがイギリス人ハミルトンであったことは一般にはあまり知られていない。湾岸戦争やアイルランド問題に題材を取った最近作を見ると、政治への傾斜が窺えるが、抑制の利いた、つつましやかで品のよい作

品それ自体のスタイルは、ともするとアカデミズムの範疇にすら入ってしまいそうな印象を受けた。

もうひとつロンドンで目についたのは、アンソニー・ドフェイ・ギャラリーで行われていたアンゼルム・キーファーの『革命の女性たち』と題された個展である。鉛製のベッドが何台も並べられ、そのベッドの中央の凹(くぼみ)に水の張られた光景は、異様な不安感を見る者に与える。鉛の持つマテリアルの不気味さによって人間存在に内在する生の根源的な不安を抉るような彼の作品は、同時代の最も先進的な作品のひとつであることは確かであろう。

しかし、ドイツのカッセルで4年ごとに行われ、今年9回目を迎えた現代美術の大展覧会『ドクメンタ9』に、このキーファーは選ばれていない。今回のディレクター役のベルギーのゲント現代美術館の館長ヤン・フートには、批判が集中しているという。だがこの批判は、アーティストのセレクションなどにあるよりは、もっぱらその展示方法にあるようだ。市内の数ヵ所に分かれた会場に、200人近くのアーティストの作品が所狭しと並べられており、確かに見る側からすれば、何の脈絡もない展示構成のように思えるのも事実である。だが、考えようによってはこうした状況こそ現代美術が置かれた混沌(こんとん)とした状況の反映であるかもしれない。

デュシャン以後すべては変わった。いや正しくは、すべてが「可能」になったというべきであろう。表現の世界においては、もはやタブーはないようにみえる。スカトロジカルな作品も、同性愛も、女性の性器も、包み隠されることなくすべてドクメンタの会場にあった。

実のところロンドンのハミルトンの会場でもスカトロジカルな作品を見たし、このMMKの目玉のヨーゼフ・ボイスの作品にしてもそれはブロンズ製の糞のようにしかみえない。今や排泄行為すら芸術なのである。

こうした過激な表現の中にあって、MMKにあるポップ・アートのコレクションなどは児戯に等しい。ウォーホルもオルディンバーグもきわめて穏健な古典である。

ポップ・アートのような大衆化した美術が当の昔に前衛ではないことを実感し得たことは、ひとつの収穫であったような気がする。そしてもうひとつ、カッセルのドクメンタ会場やMMKに押し寄せる、若いというよりはわれわれの父親や母親たちの世代に属する数多くの人たちが、何のてらいもなく現代美術に親しんでいた様子が印象的であった。

現代美術が、ヨーロッパでは確かに人々の日常に根付きはじめている証左であろうか。公立美術館ですら、あるいはだからこそ、一般の人にはわからないという理由によって現代美術をタブー視する、日本における一部の風潮は、明らかに精神の偏りと不健康を示しているように思う。もはや外国に学ぶべきものはないともいう。だが、かつての漱石や荷風といった新帰朝者の「三等国日本」的憂いはいまなお現実味をもって語られる気がしてならない。

［『神奈川新聞』1992年8月］

再び西欧の文脈へ――ヴェネチア、カッセル、ミュンスターの国際展を巡って

今年（1997年）は国際的な美術展の当たり年とも言えるだろうか、ヴェネチア、カッセル、ミュンスターの展覧会を急ぎ巡り歩いた報告を簡単にしておくことにしよう。

ヴェネチア・ビエンナーレには、アルテ・ポーヴェラなどについての著作で知られたジェルマーノ・チェラントのキュレーションによって、「未来・過去・現在」というテーマのもとに約70名のアーティストが参加している。1967年から1997年の30年を区切りに、異なった世代のアーティストたちがこのビエンナーレのために制作した最近作を展示し、コンテンポラリー・アートの現状を概観しようというのがその趣旨のようである。メイン会場のジャルディーニ会場のイタリア館などは、さながら有名どころの大棚ざらいという感がある。今回国際賞を受賞したゲルハルト・リヒターをはじめとして、クレス・オルディンバーグ、エンツォ・クッキ、ロイ・リキテンシュタイン、トニー・クラッグ、ジム・ダイン、レベッカ・ホーン、パナマレンコ、アンゼルム・キーファーなどなど。さらに、同じテーマで展示が行われたアーセナル会場でも、ジェフ・クーンズ、イリヤ・カバコフ、フランチェスコ・クレメンテ、ロバート・ロンゴ、ジュリアン・シュナーベルなどと、初見参のディノス＆ジェーク・チャ

ップマン、森万里子などが新旧入り乱れての展示だ。

主催者いわく、これは積極的な意味でのosmosis、すなわち異なった世代と質のアーティストたちの相互的な浸透性ということなのだそうである。よく言えばコンテンポラリー・アートの現状を概括的に展示しているということなのかもしれない。だが、少しいじわるな見方をすれば、どうにも収まりの悪い展示についての言い訳のように聞こえてこないでもないのである。そういえばチェラントはどこかで準備期間が4ヵ月しかなかったと愚痴をこぼしていたような気がするのだが……。このほか関連展示の中ではキーファーの『天と地』と題されたイタリア初の回顧展が、サンマルコ広場のコッレール博物館で開かれており、4メートル×8メートルの巨大な絵画3点の迫力と、代表作《メランコリア》を、最後を締めくくる図書展示室に置いた秀逸な展示は、大きな見どころのひとつといえるだろう。

一方、ヴェネチア入りした直後から、日本人関係者の間で最も評判がよかったのが、ミュンスターの彫刻プロジェクトだった。1977年、1987年と10年ごとに行われてきた展覧会の『第3回展』にあたる今年は、約70人のアーティストが、カスパー・ケーニッヒのキュレーションのもとに参集した。ヴェネチアやカッセルとは違い、野外のしかもふだんは作品など展示をしない街中に作品が展示されるこのプロジェクトが、市民の理解と協力なしに実現しないのは当然のことだろう。その意味ではケーニッヒやミュンスターのヴェストファーレン州立美術文化史博物館館長のクラウス・ブスマンが、「この展覧会は世界のために行われるのではなく、ミュンスターのために行われるのだ」と言うのは正しいのかもしれない。ところが市を上げてのプロジェクトであるにもかかわらず、現地に入ってみるとカッセルなどよりもはるかに地味な様相である。ダニエル・ビュレンヌが、ランベルチ教会を見通すプリンツィパルマルクトの通りに小旗を幾百も渡した作品や、宮殿の前庭に銀色に塗装したセミ・クラシックの中古車32台をアメリカから運び込んで並べ、モーツァルトの《レクイエム》を流して聴かせるという趣向のナムジュン・パイクのインスタレーションなどが目立った程度で、中には美術大学の卒業制作もかくやと思われるものもあった。残念ながらその作品の質は、緑に囲まれ、中世の面影を留めるこの街の居酒屋で飲んだピルスナービアの切れ味には遠く及ばないような気がする。

さて、美術展が幾分かでも祝祭的雰囲気を漂わせるものだとすれば、ヴェネチアとミュンスターに比べカッセルのドクメンタはその色彩が最も薄かったといえる。ヤン・フートが前回、カッセルの市内や施設に縦横に溢れんばかりの作品を展示し、その祝祭的側面を大いに発揮した後を受け、今回のドクメンタのキュレーションを務めたカトリーヌ・ダヴィッドの荷はけして軽くはなかったように思える。しかも20世紀最後のドクメンタとなるのであれば、それはなお一層のことであろう。「私はまさにこうした巨大な展覧会で、現実の作品というものが長い時間を通して発展し、短期間の流行の傾向に従っているのではないということを示したいのです」と、あるドイツの雑誌のインタヴューに答えるダヴィッドの展示が、いきおい歴史的なものになるのは仕方あるまい。

カッセルの中央駅からフリードリヒ広場前のフリデリツィアヌム美術館を抜け、オランジェリーに至るほぼ一直線に配置された会場は、じつにシンプルな構成だ。だが、展示の内容はその会場プランに比して、けして理解が容易とは言い難い。経済や歴史的経過を踏まえて選び出されたアーティストとその作品は重層的に重なり、西欧的な芸術展開のコンテクストを理解できない者にとっては、読み解くのが困難な業である。日本人アーティストの参加がないのも、ダヴィッドのコンセプトに従えば当然のことであろう。

さらにダヴィッドは「もちろん新しいメディアにも発言の機会を与えていますが、それはゲットーの特別な部分でも、エレクトロニクスの救世主というわけでもありません。また特別にウェブ上では多くのアーティストによるプロジェクトが計画されていますが、インターネットは補助手段であり、それ以上のものではありません」と述べ、新しいテクノロジーへの期待には懐疑的な姿勢を示している。とはいうもののダン・グラハムのヴィデオ・インスタレーションのほか、多くのヴィデオ作品の上映に場所をとっていることも事実である。その中には、ヨハネスブルグ生まれのウィリアム・ケントリッジのドローイングによるアニメーションのような、日本で出会うことのない質の佳作も見いだされる。

そのほかマイク・ケリーとトニー・ウースラーによる実に愉快なコラボレーション作品やウルリケ・グロッサルスの細々としたオブジェとスライド・プロジェクターの光を巧みに利用したインスタレーション、あるいはクリスチーヌ・ヒルの駅近くの地下道の店に作られたプロジェクトなど目を引く作品があった。概して手堅さが目立つ展示であったと言えるだろう。

ところでこの旅程の間中、強く印象付けられた一事がある。それは東洋の辺境の地に住まうわれわれにとって、コンテンポラリーなアートは本当にわれわれのものとしてあるのかということであった。もし日本でこうしたプロジェクトが行われれば、おそらく会場には多くの若者たちが集まるに違いない。

だがどこの会場でも目にしたのは、こうした若者以外の、およそ日本ではコンテンポラリー・アートには無縁の年代である40代以上や初老の夫婦の姿であった。そしてここで驚くのは彼らの若い感性にではない。コンテンポラリー・アートが、否、アートそのものが成熟した大人のものであるという厳然たる事実に驚くのである。この事実はあまりに大きい。それは日本のアーティストにとっても、美術にとっても、あるいは美術を取り巻くすべてにとって根源的な問題を孕んでいるように思えてならない。そしてこの事実に従えば、今回巡り歩いたヴェネチア、カッセル、ミュンスターのプロジェクトに参加した日本人アーティストがごく限られた数であったことも納得せざるを得ないような気がする。

[『Inter Communication #22』、NTT出版、1997年秋季号]

ソー・ドホの新たな試み

これまでソー・ドホはインスタレーションを中心に制作発表してきた。最近作として上げられるのは、ニューヨークのブルックリンのメトロテック・センターに展示された野外彫刻作品である。この作品はこの地域のためのパブリック・アートのプロジェクトの一環として企画されたものであり、1998年の10月から1999年5月まで同地区に展示されている。

何も乗っていない彫刻の台座をたくさんの小さな人型のフィギアが支えているというこの作品は、権力の栄光を顕彰するような彫刻やモニュメントが担ってきた役割、あるいはその意味を問いかけるアイロニーに満ちたものである。ソー・ドホの作品のテーマには社会性がしばしばみられ、さらにこうした社会との関わりを問うことによって、自己のアイデンティティの問題に目を向けようとするのが、彼の制作に対する一貫した姿勢といえる。

さて今回NTTインターコミュニケーション・センター［ICC］において発表されるヴィデオ・インスタレーション作品《SIGHT-SEEING》でも、それは変わらない。特に今回は、初めてヴィデオを使い、韓国人である彼の視点と彼の遭遇する異国「日本」を映像として表現する意欲的な制作が試みられている。

この作品のために、ソー・ドホは特別に開発した2ウエイ・ヴィデオ・カメラ・システムを用い、映像を記録した。このふたつのカメラは、一方は自分の見ている「対象」に、一方はその対象を見る「主体」の表情に向けられ、これらを同時に録画する。作品ではこのふたつの映像をシンクロナイズさせながら投影している。

ソー・ドホ（左）と著者、2014年11月ロンドン市内にて（写真＝著者）

まず観客が興味を惹かれるのは、典型的な日本観光や日本食の登場する、いかにも旅行者の撮りそうなホーム・ヴィデオ的な「対象」の映像だろう。ここにはアーティストが異国で遭遇した「出来事」あるいは「物語」がある。しかしこの典型的なツーリストの映像が、もうひとつの映像、すなわち、この「出来事」を体験している「主体」の映像と併置されるとき、大きな意味の変換がもたらされる。つまり、この作品を見る観客は、単に作者の体験した出来事を追体験する視点から、より客観的な第3の視点へと移行を余儀なくされる。なぜなら併置されたふたつのスクリーンに「対象」と「主体」を同時に見ることになるからである。

これはある意味での弁証法的な転換である。すなわち、観客は単なる観客であることができずに、対象と主体を同時に認識し得る、第3のより高次な存在へ否応無しに転換あるいは止揚に迫られ、追いやられるのである。この構造の中に取り込まれた観客には、もはや典型的な観光ヴィデオの物語の意味は希薄になるだろう。観客は表面の物語ではなく、この作品の背後に潜む「対象」と「主体」とそれを見つめる観客自身の「新たな主体」という「構造」を発見することになる。この構造の認知こそ、この作品にとって重要なものであるといえるのではあるまいか。

さて《SIGHT-SEEING》が主体を見いだす契機となる作品であるなら、もうひとつの作品《UNI-FACE》は、匿名性の中に溶解していくアイデンティティが表現されている。スクリーン・セーヴァーとして制作された映像のひとつは、いくつもの顔が重なり合い、最後にはどこの誰でもない顔に合成される。重なり合う個の存在が、存在しない個のイメージを作り上げる、ある意味では電子情報時代の個の危機と不安、あるいは恐怖がそこに語られているといえるかもしれない。

現代美術のフィールドの中で制作を続けてきたソー・ドホのコンセプチュアル・ワークと批評精神は、ときとしてメディア・アートが表現手段であるメディアそのものの新奇さに眩惑されてしまう脆弱さに比するとき、重要な意味を持つだろう。ICCがメディア・アートをもっぱらにするアーティストばかりに関心を払うわけではない理由もここにある。そしてより大きな領域からの自由な参入の場の提供こそ、ICCの存在理由のひとつにほかならないといえるであろう。

〔『「サイトシーイング」リーフレット』、NTTインターコミュニケーション・センター、1995年5月。『InterCommunication #30』、NTT出版、1999年秋季号及び『NTTインターコミュニケーション・センター 活動の軌跡』、NTT出版、2001年3月に転載〕

大がかりな物語やもっともらしいドラマといったものを映像の中に見慣れたわれわれには、キム・スージャの見せてくれる映像が、おそらくあまりにシンプルで、何の事件も起こらず、始まりどころか、終わりすらもわからない、捉えどころのない、まるで空虚で、真空のような世界に見えるかもしれない。

キム・スージャの『針の女』——瞑想のヴィジョン

さて今回NTTインターコミュニケーション・センター［ICC］で発表された作品は、昨年（1999年）から今年にかけて制作された新作のヴィデオによって構成されたヴィデオ・インスタレーションである。ニューヨーク、東京、デリー、上海の4都市の人や車の行き交う雑踏に立ち尽くす後ろ姿のキム・スージャを映した4本の《針の女》（1999—2000年）。さらに、岩の上に横たわる姿を映した《針の女》（北九州、日本、1999年）、インドのヤムナ川を見つめて立つ《洗う女》（ヤムナ川、インド、2000年）の合計6作品が、ひとつの部屋に設えられた6面のスクリーンにそれぞれ1点ずつ投影されたものである。アジアを代表する国際的なアーティストの本格的な日本でのヴィデオ・インスタレーションだけに注目されたが、アーティスト本人が「パーフェクト」と評した展示とDVDによって再生された切れのいい鮮明な映像は、専門家ばかりでなく、日本の観衆にもきわめて好意的に受け入れられたといえるだろう。

冒頭でも書いたようにキム・スージャのヴィデオの特徴は、そのシンプルな構造にある。ただひたすら走り続けるトラックや立ち尽くす姿が、小賢(こざか)しいテクニックを弄(ろう)することなく、シングル・フレームの中に収められる。この単純さは、近年注目を集めているダグ・エイケンやピピロッティ・リストなどのヴィデオ・インスタレーション・アーティストたちの作品が、いくつもの映像を複合して投映し、大きな空間で音楽と映像を組み合わせた大仕掛けなものであるのに対して、際立った印象を与える。

彼女の作品は、確かにこれらの作品と比べると劇的な圧倒されるような迫力はない。だが、何より単純な構造の映像は、余計な夾雑物がないだけに力強い。しばしばアーティストは物を作り込み過ぎ、余計なものを継ぎ足したくなる。こうした誘惑に駆られてしまわないのは、布だけを用いたインスタレーションという単純な構造を何度となくみずからの作品として構想し、組上げてきた、物自体が客体として存在するのだというリアリティを知り抜いたこのアーティストの優れた資質に由来するだろう。

長い黒髪を後ろでひとつに結び、灰色の衣服を纏(まと)い、その背中をこちらに向けて、ただひたすらに佇むだけの女性がひとりいる。この女性はキム・スージャ自身である。東京であれ、ニューヨークであれ、また上海であれ、インドのデリーであれ、背を向けたままの彼女は微動だにせず道の真ん中に立ち続ける。人々は彼女の左右をかき分けるように行き交う。人ばかりではない。人を乗せたリンタク（自転車にホロ車を付けたタクシー）、オートバイ、タクシー、バンなどもせわしげに彼女の傍らを擦り抜けて行く。それらは彼女の存在によって本来の流れを切り裂かれ、そして彼女の傍らを通り過ぎることによって、また再び繋ぎ合わされる。それは個々の存在としての人々や車であるよりは、流れという量塊であり、水流にも似ているだろうか。人々が行き交う道に立つ彼女の姿は、その水の流れに見え隠れする不動の岩のようにも見える。

凛とした存在感、というよりは存在そのものの凛とした緊張感。おそらくはざわめきと騒がしさに溢れる雑踏であるにもかかわらず、画面から感じられるのは不思議な静寂感である。動いて行く人波の輪郭は次第にぼやけ、長時間露光した写真に動いているものが消えて写らず、まったく動かないものだけが写り込むように、見るものは行き過ぎる人の流れから彼女の存在そのものだけを画面の中で手にするのである。そこには「あり続ける」というごく当たり前の存在の本質が見えてくる。

キム・スージャが対峙するのは雑踏という人の群ればかりではない。鉛色に光り、画面の左から右へと水草やゴミを運びながら流れて行く川面（かわも）を見つめ続けて立ち続ける彼女の前にあるのは、川の流れという自然である。しかし、自然を見つめて立つ彼女の有り様は、人々の波を前にした彼女と何ら変わることがない。目の前を大小いくつもの事物が流れ去る。小鳥や虫が時折飛び交い、その影が川面に映る。だが、やはり彼女は変わらず、不動のままに立ち尽くす。

鉛色の川を見つめているうちに、彼女の頭の上に広がる川面が、灰色の空のようにも錯覚されてくる。

現実であるにもかかわらず、不思議な浮遊感と空白感。ただ見つめて立ち尽くしている彼女の周囲の世界が現実から離れていくように見える。そこには映像の眩惑が潜むのだろうか。いや、これはわれわれの見ている現実の光景が変質して行くのではない。立ち尽くす彼女が見ている光景をわれわれが見せられているのだ。すなわちわれわれの視覚に眼前するのは、彼女の眼差しのうちに立ち現われる世界なのである。それはおそらく現実を超え、彼女の心のうちに立ち現われる世界なのだろう。空無な瞑想、時間も空間もない、自己の存在のみを否応なしに確信してしまうような、そこはそんな場所なのではあるまいか。これはまさに瞑想の映像なのである。

〔『MISULSEGAE（美術世界）』２０００年7月号。韓国の美術雑誌に韓国語に翻訳して掲載〕

21世紀のアートについて

　ここ2、3年、世界で行われる国際的な美術展を巡り歩いていて感じるのは、ペインティング、インスタレーション、写真など従来型の表現形式が依然として主流を占める中、これまであまり見かけることのなかった、映像のプロジェクションを組み合わせたヴィデオ・インスタレーションと呼ばれる作品が数多く見られるようになってきたことである。

　ひとつの空間に複数の映像を投影するばかりでなく、音楽やサウンドを巧みに使いながら、多元的で非常に複雑な表現をインスタレーションとして展開している。映画、テレビ、音楽といったメディアに囲まれ育った若い世代の、新時代を予兆させるような新感覚に溢れた表現といえるだろう。しかもこれらの作品は、そのスタイルの目新しさばかりではなく、内容においても高い評価を得られるようになっている。たとえば、1997年のヴェネチア・ビエンナーレのピピロッティ・リストや、同じく1999年のダグ・エイケンなどがそのよい例であろう。

　このほかまだまだ数は少ないが、こうした国際展においてもコンピュータを使用したコンピュータ・グラフィックスやインターネットを介したネット・アートが散見されるようになってきた。

ところで、こうした動向とは別に、より先鋭的な活動として、メディア・アートと呼ばれる最先端のテクノロジーを駆使した芸術表現を試みようとするアーティストのソサイティが形成されつつある。オーストリアにおけるアルス・エレクトロニカ・センター、ドイツにおけるカールスルーエ・アート・アンド・メディア・センター（ZKM）、日本におけるNTTインターコミュニケーション・センター［ICC］などなど。これらはすべて、90年代後半になって顕著になったメディア・アートやその周辺のメディア・テクノロジーから生まれてきた新しい表現形式に特化した展示施設を持つセンターである。これはメディア・アートに対する関心の高まりを示す好例であると同時に、このような施設が次々と生まれていること自体が、メディア・アートという新しいジャンルに対する社会的な認知の証左ともいえるのだろう。

またこうした動きは、アジア地域においてさらなる加速をしているように見える。韓国のソウル市で開催された『メディア・シティ・ソウル2000』の試みや、台湾の台北市と民間企業が計画するメディア・アート・ミュージアム、日本の仙台市に建設された「せんだいメディアテーク」など、注目すべき状況が生まれている。

しかしこうした関心の高まりとは裏腹に、表現されている内容は拙く未熟である。さらにアート全体から見れば、メディア・アートを制作しようというアーティストは、学生や批評家などの周囲の同伴者を含めたとしても圧倒的に人数は少なく、少数派に過ぎない。就労人口の少ないメディア・アートが、アートの世界で次代の覇権を担うには、克服すべき課題はまだまだ多いように思われる。

さて、そろそろ与えられたふたつの問いに答えねばなるまい。

私はキュレーターである。ゆえに、コンテンポラリー・アートを専門にするキュレーターとして、「現在」を語ることには長けているだろう。また大学と大学院では美術史を学んだ。ゆえに、美術史家として「過去」を分析することはできよう。だが、「未来」を予見することは、たとえそれが「近い未来」であるにしても、予言者ではない私にはひどく困難であるように思える。

しかし、あえて言うならば、これまで述べてきたように、20世紀後半に招来した技術革新の成果が、芸術表現に引き続き浸透し、さらにそれらが次の表現に影響を与え、アートをめぐる環境が大きく変化していくことは間違いないだろう。鑑賞の仕方も、鑑賞する施設も、鑑賞者としての人々の在り方も、そしてアーティストやアートそれ自身だけではなく、アートを取り巻くすべてのものが、こうしたテクノロジーの侵攻の影響に晒されるだろう。

これらは一方においては、多様なアートの現出であり、もう一方では、アートに触れる機会が増大することによって、アートの大衆化を促す。美術館やギャラリーに直接足を運ぶことなく、ただコンピュータのスイッチを入れれば、作品（ただしこの作品とは、コンピュータの画面に、絵画の写真を張り付けただけのようなものを指すのではない。純粋にコンピュータの中でしか生成できない種類の作品をいうのである）を手にすることのできる時代。そんな時代から、この世紀は始まるのである。そしてここでは、哲学、思想、美学、あるいは意味を理解する困難さが求められるよりは、享受する楽しみや手軽さが重宝されるだろう。そこに起こるのは、アートの標準化であり、俗化である。良くも悪くもこうした時代なのだ。

さて、それではこうした時代をリードしていくオルタナティヴなアートとはいったい何であるのだろうか。そのひとつの答えとして、メディア・アートやヴィデオ・インスタレーションのような、先進的なテクノロジーと関わりを持ったアートを上げるのが、最も妥当なように思える。

だが、こうしたムーブメントが、とうのテクノロジーを頼りとするアートの側から従来型のアートへの侵攻として現れてくるのか、あるいは従来型のアートに呑み込まれつつ起こるのかはわからない。さらにすでに指摘したようにメディア・アートが、こうした動きの中心となるには、あまりに克服すべき課題が多いことも事実であろう。

そして何より、20世紀のアートの歩みを進めたのが、ピカソやデュシャンのような天才的なアーティストたちであったとするならば、21世紀を担うアートが生まれるには、彼らに匹敵するひとりの巨大な天才の登場を待つ以外にないだろう。そして願わくは、そうした天才のひとりがこの私たちの暮らすアジアの地から生まれ出てほしいと、アジアのキュレーターのひとりとして期待せずにはおれないのである。

[『WOLGAN MISOOL(月刊美術)』2001年1月号。韓国の美術雑誌に韓国語に翻訳して掲載]

見本市の中の韓国美術展

朝、何気なくテレビを付けると、韓国が日本で本格的な見本市『コリア・スーパー・エキスポ2000』を開催するというニュースが流れてきた。テレビのレポーターはにこやかに、この見本市がこれまでの韓国の伝統や文化を紹介するものとは異なり、新しい今日的な韓国の姿を紹介することが主眼なのだと伝えていた。

映画、ポピュラー音楽など、このところ日本でも時折話題になる韓国の若者文化が積極的に取り上げられている。テレビ画面には、伝統品の小さな展示ブースとは対照的な、美しくディスプレイされたCD試聴コーナーや映画のシーンを映したテレビモニターの並んだ展示風景が映し出されていた。しかし、朝の出勤前の慌ただしいときで、これを見たことはすぐに失念してしまっていた。

その日の午後、知人から電話があった。アートソンジェ・センターのキュレーター、キム・スンジュンさんが来日しているので、夕刻時間があれば会いませんかとのお誘いだった。すぐには事情が呑み込めなかったが、聞くとアーティストも何人か来ているという。そしてよくよく尋ねれば、キムさんは見本市の会場で韓国のコンテンポラリー・アートを紹介する展覧会のキュレーションをするために来ているというのであった。そこまで聞いて、ようやく朝のテレビ・ニュースのことを思い出し、ことの次第が結び付いた。

知人との約束では展覧会の会場で合流するはずだったが、仕事の都合で会場には行けず、したがって作品を見ることができないままに、直接、打ち上げの会が行われている場所に向かった。会はすでに始まっており、総勢50名余、韓国のアーティストやジャーナリストなどの関係者のほかに、もちろん何人かの日本のキュレーターの顔もみえる。広い畳の部屋で鍋料理を前にして、その賑やかな雰囲気には、いつもながらの韓国パワーと熱気を感じた。韓国語、日本語、英語、はてはフランス語までもが飛び交い、楽しい会は盛り上がりをみせた。

キムさんから手渡された展覧会の小さなカタログの冊子を眺め、ぜひとも足を運ばねばなるまいと思いながら、その会を後にした。ただ、別れ際に知人の日本人のキュレーターに展覧会の様子はどうだったと尋ねると、見本市の会場の一角だからねという答えが返ってきたのが、気にかかったのだが……。

翌日早速、会場に足を運んだ。会場の東京ビッグサイトはよく知られた見本市会場である。ただし、東京湾の臨海地区にあり、一般の人にとっては足の便があまりよくない。案の定、午前中の早い時間のせいもあるのか、駅からの人波はまばらである。さらに会場の建物に着いても閑散とした感は否めない。

実際の展示会場を見て、昨日の知人の言葉が納得されてしまった。広さは申し分ないのだが、見本市会場の入口前のコンサートなどの催し物が行われる特設ステージの裏側という、あまりアートの展示に向くとは思えない場所を割り当てられていた。キュレーターのキムさんの苦労が大いに想像されるというものだ。照明の具合もよくない、天井もないに等しい。これではどんなに力のある作品を展示できたとしても、その魅力を伝えるのは難しいだろう。

さてこの展覧会に参加しているアーティストは、カタログの文章が言うように30代の若いアーティストであり、その作品も絵画、写真、映像、インスタレーションとさまざまである。そしてその中にはチェ・ジョンファのようにすでに日本で作品の発表経験もあるアーティストもいれば、初めて紹介されるアーティストもいる。韓国の多様なコンテンポラリー・アートの状況の一端が垣間見られるという趣向だ。

この展覧会からまず感じたのは、日本と韓国のコンテンポラリー・アートの近似的な雰囲気であろうか。日本の鉄腕アトムとアメリカのミッキーマウスから触発されて生み出されたキャラクター「アトマウス」を使ってポップな絵画を表現するリー・ドンギ。彼の描く世界は、キャラクター「DOB君」を生み出し、日本の若い世代に人気の村上隆と近しい印象を受ける。またチェの作品の持つ「キッチュ」な感覚は、日韓の若者文化に通底するひとつの要素を媒介にすることで、日本と韓国を問わず共通の理解が可能になるだろう。

あるいは、今回の出品作ではないが、パク・ホンチュンの長時間露光によって人々の姿を消し去った娯楽施設の写真に漂う空しい寂寞感（せきばくかん）は、日本の社会の抱える心の空しさと重なるようにみえる。

だが、こうした近似性に対して一方では、リン・ミヌとミション・フレデリックによるインスタレーションの軍事的なモチーフは、今の日本とはまったく異なる韓国独自の状況を思い起こさせると同時に、その差異、乖離を意識させるものといえよう。たとえば、色に対する感覚、あるいは細かなディテール。文化の些末な部分に入り込めば込むほど、時折、強烈に感じる差異。「似て非なるもの」という言葉が日本語にはあるが、まさにそうした種類のものは厳然として、あたかも越え難いものとして存在するようにみえる。

しかし、だからこそ、会場で自分の作品を前にリー・スギョンが「作品によって日本と韓国のコミュニケーションの在り方を探ってみたい」と語ってくれたのが印象的であった。今回彼女は、おなじみの平面作品の前に、日本人と韓国人の手によって生けられたさまざまな「生け花」を配したインスタレーションを試みている。生花や木を使った生け花が、それが何かと明確に語ることのできない、日韓の微妙な違いを表現する。そしてその植物の間を徘徊し、絵の前に置かれた椅子に座り、絵画と自分、そしてこの生け花たちと鑑賞者たちはコミュニケートするのである。

またコミュニケーションの可能性というなら、今回は出品されていないがチャン・ヨンチェのウェブ上などで展開される作品も、これからの日本と韓国での新しいアートとして注目を受けるかもしれない。かくいうこの原稿も韓国にインターネットを通じて送っているのだから、そういう時代がやってきたのだといえるだろう。

ところで、今回の『コリア・スーパー・エキスポ2000』は、日本ではほとんど話題にならなかった。ましてや、その片隅で行われたこの展覧会については、期間も短く、非常に残念なことに、少数の美術の専門家を除いて一般の人には、知られることがなかったように思う。だが、だからといってこうした試みを否定してはなるまい。あらゆる機会を用いてこうした努力を積み重ねることこそ、地道かも知れないが、日韓の美術の交流の一歩となるに違いないのだから。

さらにこうしたコンテンポラリー・アートの置かれた状況は日本とて、あまり韓国と変わることはないように思う。日本自身が海外で日本文化を紹介しようとするとき、コンテンポラリー・アートなどはおそらく添え物にしか過ぎないだろう。だが、だからこそ、こうした現代美術の悲しむべき日韓の状況に対して、日韓の美術関係者が共同して、新しい展望を示し得る可能性があるのではないだろうか。

［『MISULSEGAE（美術世界）』２００１年１月号。韓国の美術雑誌に韓国語に翻訳して掲載］

中国の現代美術の動向について

1 伝統的美術の存在

アジア地域においては、それぞれの国が地域独自の発展を遂げ、各国が長い歴史と文化的伝統を持っている。しかし東アジアに位置する中国、韓国、日本の3国をみると、中国の影響はきわめて大きかったといえるだろう。古代から強大な歴代皇帝によって治められた中国の文化は、周辺の国家に直接、あるいは間接の影響を与えており、結果として類似的な文化の諸相の上に、それぞれの独自で特徴ある文化を構築してきた。これは近代化、すなわち欧米化を迎える1800年代後半まで続いてきたのであり、こうして作られた文化をわれわれは「伝統的な文化」と呼んでいる。この伝統的な文化の中には、芸術一般として、美術や音楽があり、これらも独自の形式や内容を持ったものとして、それぞれの国で継承されてきた。

美術の領域においては、たとえば絵画にみられるように、中国や韓国では、国画と呼ばれる墨と紙によって表現された絵画形式が存在し、それは日本においては日本画と呼ばれるジャンルであるだろう。

これらは素材や表現において限りなく類似的な側面を持ち、一方で各国独自のニュアンスや内容を表現するものであり、同一であり、同一ではないという性格を持ったものとして展開してきた。

またこうした伝統的美術と1800年代以降の近代化とともに起こった近代美術との軋轢（あつれき）は各国とも興味深いものがあるが、この論考では詳しくは触れない。ただ簡単に述べれば、近代化と同時に、伝統的な美術とは異なる近代的な美術の形式や様式が、基本的には国家の公式美術の在り方として定着し、アカデミックな美術様式として各国の美術の規範を提示していくことになるのである。また付言すれば、植民地支配を通じ、文化様式においても東アジア地域においては、日本が最も早く近代化＝西欧化を成し遂げた結果、その近代形式の伝播においては、留学生の教育や指導者の養成、美術の様式などさまざまな側面において主導的な役割を果たしたといえる。[*1]

伝統美術とは別の文脈で成立したこのような近代的美術は、1900年代半ばまで各国の主流の美術として続き、第二次世界大戦後に世界の美術の大きな変革の波が、欧米とりわけアメリカから各国に及ぶまで、アジア地域の大きな美術の流れとなっていた。

第二次世界大戦により、ヨーロッパから戦禍に見舞われなかったアメリカに文化に関する主導な地位が移ったのは当然の結果であるかもしれない。アメリカの美術では新しい絵画形式に始まり、やがて大量生産と大量消費を背景とした消費型の文化の相の上にポップ・アートという新たな芸術形式を創出した。これはいわゆる大衆文化がその背景にあり、こうした文化の基層から現れた芸術であり、広汎な文化産業と結び付いた20世紀の代表的な芸術形式を生み出したが、この文脈の上に21世紀初期のいわゆる現代美術は位置したものといい得るだろう。

さて、このように概観される東アジアにおける美術の状況は、各国独自に近代以前に成立した「伝統美術」。さらに封建社会が崩壊し、近代化＝西欧化によって構築され、伝統美術とのせめぎ合いの中で成立し、以後のアカデミックな形式となった「近代美術」。そして第二次世界大戦後にアメリカの圧倒的な影響のもとに登場してきた「現代美術＝コンテンポラリー・アート」という三つの美術、あるいは美術形式が存在することになる。

2 現代美術の文脈

この三つの美術形式のうち、「現代美術」とは明らかに欧米の社会の展開の基底にある近代化の文脈の上に成立したものであることは間違いない。したがって、欧米人にとって「現代美術」という美術の形式は、歴史的に近代において成立した芸術と連続しており、同一のコンテクストの中にあるものとして基本的には理解されている。言い換えれば、マーク・ロスコ、ジャクソン・ポロック、デ・クーニング、あるいはアンディ・ウォーホルの絵画ですら、レンブラントやピカソの絵画と同一の論理や構造の中で論じることが可能であるのだといい得る、あるいは同一のコンテクストの中において創作されたのだといい得るのである。さらに21世紀に起こったインスタレーションを中心とした新たな空間芸術の展開もまた、こうしたコンテクストの上に成立するのだといえる。それはとりもなおさず、国際美術展などのアート・シーンを主導するコンテンポラリー・アートが西欧の文脈の中にあるのだということを端的に表しているというわけなのである。

この文脈の存在は、欧米化が進む東アジアの地域が、その地域のアーティストによって制作された作品を、どのように現代美術表現であると主張しても、元来その文脈上には組み込むことが困難なものであるかもしれない。またこうした限界とともに、制作の現場をアメリカやヨーロッパに移し、かつての「エコール・ド・パリ」を形成した外国人のアーティストのように、コンテンポラリー・アートの文脈に回収されようとしているアーティストも現れているように思う。したがってここには、現代美術における限界と拡張の二重構造が存在しているといえるだろう。この詳細な分析は、現代美術に関する多くの課題のひとつでもある。

3 社会主義リアリズム

中国は承知のように第二次世界大戦後は、世界でも屈指の共産主義国家となり、ソビエト連邦と並び共産党一党独裁の国家として君臨した。しかし、この共産主義自体は、ソビエトにおける政権の崩壊とともに、大きくその形を変貌させ、現在では、共産党支配の政治体制の下に、資本主義経済を国家主導の管理下に置きながら実行する、新たな混交的な国家体制を敷き、新共産主義ともいうべき道を歩んでいる。

こうした中国において美術様式は現在、いくつかの層によって形成されており、現代美術の位置も欧米のそれとは異なるようにみえる。特に第二次世界大戦後の共産主義体制下で称揚された美術形式は、社会主義リアリズムという、国家のイデオロギーを、理想化された政治指導者に仮託したり、あるいは労働者の理想化された姿を表現したりする独自の様式を生み出した。[*2]

この様式の特徴は、極端な理想化とリアリズム表現である。ただし、ここでいうリアリズムとは真実や実体を表すのではなく、あくまでも理念的な、非現実的な世界を写実主義の様式において表現するのであり、その意味では真のリアリズムとはいえない。このような様式が、形式主義や伝統主義、技術主義に陥り、国家の公式的な美術として政府の公認したものであったとしても見るべきものがないのは、きわめて当然のことである。

これに対して、ヌードを含む穏健な近代絵画であれ、抽象画や表現主義絵画なども、こうした公式の絵画とは異なる反社会的なものとして、国家権力による排斥が公然と行われてきた。結果、穏健なモダニズムであれ、抽象画であれ、それらを制作することは、好むと好まざるとにかかわらず、中国では反権力運動となってしまったのである。[*3]

4 反権力としての現代美術

社会主義リアリズムが中国において公式の美術であったとするならば、いわゆる近現代美術の様式は反革命であり、反権力運動となった。外国人旅行者のもたらす美術雑誌、東欧などを経由した欧米の情報など、きわめて狭い情報の道筋を辿りながら、西欧の美術事情は心ある、体制美術に飽き足らない人々に現代美術の存在を知らせ、その制作に向かわせた。そしてそのうちの何人かはさまざまな手段を駆使し、1980年代にかけて、国内から海外へ飛び出し、新しい芸術表現を模索していた。[*4]

一方、国内に残る人々は、機会を得ながら現代美術の展覧会を開催し、何度も官憲による取締りなどを経験しながら、徐々に表現の自由を勝ち取ってきたのである。そしてようやく90年代に入り、経済における改革開放、さらにソビエト連邦崩壊など、社会情勢の大きな変動の結果、国際社会に中国の現代美術の存在が明らかになった。

5 国際市場における中国現代美術

蔡國強（ツァイ・グオチャン）、方力鈞（ファン・リジュン）、艾未未（アイ・ウェイウェイ）など90年代後半以降、国際的にも認められる数多くの中国人アーティストが登場し、国際的な美術展を中心に国際アート市場で大きなブームとなった。彼らの作品が欧米から注目されたのは、何より共産主義の体制下では存在するとは思えなかった現代美術を指向する作品が存在し、しかも欧米のアーティストの表現し得ない中国独自のテイスト、たとえば蔡國強の火薬、方力鈞の独自の具象表現など[*5]が、新鮮な印象を与えたことにある。またそれは、けして中国の現代美術が、現代美術の主流として認められたのではなく、それとは別の現代的シノワズリー（中国趣味）として好まれたのだともいい得るかもしれない。事実、こうした表現に追随するような中国人作家の次々の登場は、イズムの問題であるよりは、流行や珍奇なものを求める趣味の世界に近いものを感じる。

この中国現代作家の一大ブームにより、海外のアート・マーケットでの需要、為替差による巨額な利益など現代美術の制作や販売が大きな経済的成功をもたらすという認識を生み、さらに海外のメガ・ギャラリーの市場への直接的な参入、開放経済による中国人によるギャラリー経営、国家による情報管理などの条件が重なり、現代美術のエリアが誕生した。これが、軍需工場の跡地に出現した「798」や「草場地」などの巨大アート・エリアといえる。

現地でこれらのエリアを実見すれば、このブームが並外れて異様な事態であることを実感するだろう。しかもここに集まるギャラリーのほとんどすべてが、現代美術を扱うギャラリーであり、中国資本だけではなく、さまざまな国の資本が投下されているのをみると、現代美術の新たなゴールドラッシュに沸く、いささかいかがわしい街のようにもみえる。

しかし、繁栄は長くは続かなかった。北京オリンピックが終わり、リーマン・ショックという金融危機が起こり、現在は欧米の資本のいくつかが撤退し、なおギャラリー閉鎖の噂や身売りの話には事欠かない。人々の賑わいも一時期の状態とは異なり閑散とした状況も生まれている。だが、そのような状況の一方で、なお、平日にもかかわらず観光客や見学客の足はなくなっているようにはみえない。「798」の活況は、ヴェネチア・ビエンナーレのそれや、銀座の歩行者天国のそれにも似た様相ではある。

このような現状を踏まえ、次の節ではもう少し詳しく現代美術の現状をみながら、現代中国人との関係や都市と現代美術の関係を考え、中国における現代美術とは何かについて論究することとしたい。

6 現代美術の理解

現代美術について中国人が、西欧や日本のそれのように、ある文化的な基底の中で理解しながら存在しているかどうかについては大きな疑問があるだろう。むろん、欧米にせよ、日本にせよ、現代美術といわれるカテゴリーに入る造形芸術表現が、一般的な市民レベルや大衆レベルでその内容が理解されているのかといえば、けしてそうではないことは明らかである。それは、どのように欧米において現代美術が盛んであったとしても、一部のアートフリークや美術業界を中心にした出来事であり、映画産業や音楽産業のような大きな消費者層を持った巨大資本の徘徊する世界とはまったく異なるものであるだろう。また日本でも同様、またはそれ以上に困難な状況であることは、現代美術の名を冠した美術館の数の少なさや、「現代」を美術館の名前から外さねばならなかった公立美術館[*6]の存在を考えてみれば、よく理解できるだろう。現代美術は、今までも、またこれからもけして大衆的なものではない。大量に生産され、大量に消費されるような、音楽や音楽産業、あるいはメディア業界とは異なるものであるだろう。

とはいうものの、ヴェネチア・ビエンナーレ、ドクメンタなどの国際美術展の活況は、現代美術が市民権を得ることがけして夢物語ではなくなったことを示しているのも事実である。欧米だけではなく、アジアなどヨーロッパから遠く隔たった地域からも多くの現代美術ファンを引き寄せ、こうしたファンだけではなく一般の人をも巻き込んで、大きな活気あるイベントとして存在しているのも、また現実である。さらにそれはアジア地域においても同様であり、韓国で開催されている光州ビエンナーレには何十万人という人が集まった。

さて、目を中国に転じてみよう。日本や韓国、あるいは台湾などの資本主義の経済体制下にある国々においては、欧米的文化が第二次大戦後は、欧米とほぼ同時に文化的な状況が展開してきた。したがって、教育や大衆文化のレベルにおいて、現代美術に対する理解や認識に関していえば、おおむね欧米との違いはないか、あっても格差は深刻なほど大きなものはないだろう。しかし、こと中国に関しては、同じアジア地域にありながら、国家体制の違いによって、現代美術に対する理解や認識には非常に大きな違いがあるといえる。

そもそも美術の在り方自体が共産主義という国家体制の中では、欧米や日本のような資本主義の文化の中の美術の在り方と異なっているというのは当然である。共産主義の美術は、党のイデオロギーに従属するものであり、それらは性格的にはプロパガンダ芸術に近い。[*7] 個人の趣味において美術を鑑賞するのではなく、新しい、その時代の美術はつねに党の成果を彩るものでしかなく、鑑賞や趣味というものとは大きく次元を異にしていたといえるだろう。したがって、現在の中国には、美術を鑑賞し、楽しむといったことが行われていたとしても、そこには何か鑑賞の規範が存在するのではなく、ほとんど基準や価値といったものが存在しない、いわばカオスのような状況であるといえるのではないだろうか。見る側がそのような状況であるならば、制作する側であるアーティストたちにおいても、一部の西欧の美術界と繋がりを持つようなアーティストを除き、思想や哲学など、考えるべき根本を持たずに現代美術の創作に携わっているような印象すら受けるのである。

国家が強力な一党独裁のイデオロギーの上に成立しているのとは好対照であるように、いま中国のコンテンポラリー・アートはある種の無政府状態、あるいは混沌の中にあるといえる。外見は巨大な現代美術ギャラリーであり、そこには無数の中国人アーティストによる作品が展示されているかにみえるが、それは90年代にヨーロッパやアメリカで評価されたアーティストたちの真似か、よくても変奏曲のような作品ばかりに思える。中国の根本的な文化の問題や社会的な苦悩に根ざした表現には行き当たらない。表面的な活況に比べて、内容はあまりにも貧しいものであるといえるだろう。

このような状況を裏付けるように、台湾出身の中国人キュレーターが、インタヴューの中で述べた「中国には現代美術を理解する人はいない」[*8]といった発言や上海で活動する韓国のキュレーター、キム・スンヒー[*9]の「現代美術をわかる人も好きな人もいない」という半ば自虐的ともみられる発言は、中国の現代美術の環境を如実に物語っているといえるだろう。これは美術館や、ギャラリー施設を運営する立場の人間の発言であり、つねに大衆的な欲求と向き合う現場の人間の声である。こうした声や発言の意味するところは、中国においては一般的な人々のレベルにおいて現代美術は存在していないに等しいということである。むろんこれは、極端な言い方ではあるかもしれない。と同時に日本や欧米と比べたとき、特に日本においては一般的な現代美術の受容はけして大きいわけではなく、中国のそれとある点からいえばほとんど変わらないが、社会的な受容ということを考えると、中国の現状はきわめて厳しい状況にあるといえるだろう。観覧者のモラルの低さ、たとえば平気で絵に触るといった行為が日常的にあり得たりすることなどからしても、歴然としている。

7 中国における現代美術

さて、それではこれまで見てきたような状況にもかかわらず、世界が注目するような、「798」のような巨大な現代美術の展示エリアが、中国に出現し、それらが大きな活況を呈し、なぜいまなおある程度の力を維持しながら展開しているのかを考えてみよう。

まず、第1には、中国の現代美術が再発見されたときの作品やアーティストが、これまでの西欧のアーティストとは異なる作品を制作し、それが質の高い現代美術の作品として新鮮な印象を与えたと同時に高い評価を得たことにあるだろう。さらにこうしたアーティストが質の高い作品を制作し続けられたことが大きい。もし単に1度や2度の表層的なブームであれば、こうした事態にまで及ぶことはなかったに違いない。基本的には中国の現代美術の質の高さがその背景にあることは認識しておくべきであろう。

とはいうものの、質の高い作品の制作と才能あるアーティストが現在もなお輩出しているかというと、それにはいささか疑問が生じる。第1世代とそれに続く何人かのアーティストは、確かに多くの国際美術展に作品を出品し、アート・マーケットでも高い値段で作品が取引されている。しかし、それに続く世代が生まれているとはいえない状況ではないか。

そしてこのことは、アート・エリアの誕生と関係のないことではない。すなわち、国家にとって反権力であった現代美術は、改革開放経済の下、反権力から、国際的な評価と国際的なアート・マーケットでの商品価値が付けられることによって、一転、新たな文化産業としての資源に転化したといえる。これが第2の要因である。文化の抑圧から、マーケットとしての容認に大きく政府が立場を変えたといえよう。これはけして表現の自由を容認し、芸術活動の自由を保証したことではない。むしろ、特定の地域にアートを囲い込み、一方において反権力の芽を監視し、国家管理の下に置くとともに、他方、経済振興政策として国家の保護下に置くということである。すなわち現代美術振興策は文化政策であるよりは経済政策であるといえようか。

ここにおいて現代美術の置かれた特殊な状況が見えてくる。それは文化政策や教育政策の中で現代美術の振興が図られるのではなく、経済政策によるということの示す意味は、つねにマーケットの主導する現代美術の出現ということであり、制作の理念や思想、方法論や理論に先立ち、マーケット上の価値が存在する現代美術であるということになるからである。したがって、中国人アーティストのマーケットでの高値とは裏腹に、作品的にはもはや飽き飽きするような模倣や焼き直しが横行し、独自の創造性にはあまり注意がいかないという、芸術としてはきわめて危機的な状況が生み出されているといえる。

さらにこうした作品の多くが、今なお欧米人を中心にした現代美術愛好家を相手にしたものであり、中国人のコレクターや鑑賞者の育成へとは至っていない。すなわち国内の現代美術の広まりは限られた範囲のものであるといっていいだろう。

8 現代中国の美術の相

このような現代美術の状況は、現代美術自体が、けして創造的な社会の表現として必然的に生み出されたものであるというものではなく、むしろ社会的な要請や利潤による商品化としての表れという側面を強調する。美術で成功することは、豊かな生活を保障し、豪邸での生活を欧米に比べ物価の極端に低い中国では比較的簡単に手にすることができる。すなわちこのとき美術は表現の問題であるより、生活の手段となるといえるだろう。

さらに、現代美術以外の美術の存在も忘れてはならない。写実的なアカデミズムは権威として生きており、またモダニズムも新しい表現として社会に大きな影響力を持っている。[*10] そこには美術教育に携わる教員の作品に見られるように、現代美術とは異なる、同時代の穏健にして穏当な表現もまた存在するのである。[*11] かつての共産主義という体制下においてはこうした表現すら、反社会的なものであったはずのものが、現代美術の相とは異なるレベルにおいてまたこれらも新しい表現であり、権威なのである。

また、工芸や伝統美術の存在も無視することはできない。こうしたものが価値付けてきた美意識や美術に対する概念は、広汎に一般の人々の美術とは何かという考え方を支配する雛型を与え、現代美術に対する認識や理解の妨げになることが多いが、おそらくは中国においてもこうした状況は変わらないだろう。

このようないくつもの相が混在し、混沌とした事態を作り出しているのが、中国美術の現況であり、これらがいかなる方向に向いているかは、まったく見極めが困難である。それは方向性の見えない暴走であり、改革開放経済のもといま始まったばかりなのであり、今後10年以上は、この不安定で、エネルギーに満ちた、停滞と爆発が同時に進行する、ある意味、不可思議な状況が続いていくものと想像する。おそらく世界でも類例のない、巨大なアートの実験が始まったということかもしれない。

本論考は2009年3月に行った特別研究「国際美術展の可能性」の調査報告書に執筆した論考に新たに注を付し、加筆訂正したものである。したがって学術的な研究論文としては充分とは言い難いかもしれないが、今後の現代美術動向を考察して行くべきひとつの方向性や問題点を示唆するものとして発表の機会となれば幸いである。

*1—韓国においては1945年に梨花女子大学に美術科が創設されるまで自国において美術家を養成できる大学は存在していなかった。美術家を志した者はもっぱら日本の大学において勉学したのである。さらにこれは日本の植民地支配の結果でもあるだろう。姜健栄『近代朝鮮の絵画』、朱鳥社、2009年4月、p.15。

*2—イーゴリ・ゴロムシトク『全体主義芸術』(貝澤哉訳)、水声社、2007年2月、pp.246-259。牧陽一『アヴァン・チャイナ』、

木魂社、1998年9月、pp.12–14ほか。
＊3―牧陽一、同前、pp.32–60。
＊4―牧陽一、同前、p.19。
＊5―1989年6月4日に起こった六・四天安門事件の挫折を経験した以後に登場した、虚無感の漂う人物表現でシニカル・リアリズム（「玩世」現実主義）と呼ばれる。牧陽一『中国現代アート』、講談社選書メチエ、2007年2月、pp.36–38。
＊6―金沢21世紀美術館は準備室時代には現代美術館の呼称を用いていたが、開館時に現在の名称に改められている。しかし、現在でも英語の表記は、21st Century Museum of Contemporary Art, Kanazawa であり、現代美術を扱う美術館であることを国際的には表明している。
＊7―牧陽一、松浦恆雄、川田進『中国のプロパガンダ芸術』、岩波書店、2000年9月。
＊8―中央美術学院美術館執行館長謝素貞（シェ・スーチェン）。2009年3月26日の中央美術学院美術館での面談調査の際に出た話である。なお、同美術館は日本人建築家磯崎新（あらた）の設計で、中央美術大学の付属美術館として2008年10月に北京市に開館している。
＊9―国際的に活動する韓国人キュレーター。韓国の光州市立美術館及び光州ビエンナーレ、日本の森美術館でチーフ・キュレーターを務めた後、2009年6月まで上海のBand18でアート・ディレクターとして活躍。
＊10―『絵画の行進　中国表現主義絵画8人展』。2009年3月中国美術館にて開催されていた展覧会で、作品の内容はモダニズムそのものであった。
＊11―『天津美術学院油画系教師作品展』。やはり2009年3月中国美術館にて開催されていた展覧会。天津美術大学の教員の作品展である。近代的な絵画様式が主流となり、古典的な写実主義から抽象画、若い教員によるインスタレーション的作品まで幅広い作品内容が示されていた。

〔『金沢美術工芸大学紀要54』、金沢美術工芸大学、2010年3月〕

第4章　再び現代美術の諸相に向けて——リアリティの在処(ありか)

シンディ・シャーマン展〝リアル〟から〝ファンタジー〟への文脈
——森村泰昌、C・シャーマン、森万里子

写真の機能が単に「真を写す」ことから逸脱して久しい。技術的には写真として写された画像に新たな対象を加えることも、消し去ることも、きわめて簡単な操作で可能になった。オリジナルな写真。オリジナルな画面に新たなモノを加えた写真。オリジナルな画面から何モノかを消去した写真。これら三つの写真の持つリアリティの差異はまったくなくなった。つまりすべてが等価の現実となり、作為のある偽りすら新たなリアリティを獲得するのだ。

こうした写真におけるリアリティの崩壊、あるいは拡張が進行するとき、表現としてのプレイン・サフェス（平面）の世界においてもその崩壊と拡張が進行するのは、あまりに当然のことかもしれない。

森村泰昌は写真と絵画の揺らぎの中で自画像（自写像）を制作し続ける。自らが扮装し、化粧し、女優のピンナップを再現したり、これまで美術の歴史を飾った名画を変容させるとき、慣れ親しんできた映画女優や美術の図像のシニカルな擬態が出現する。より精緻に表現することを目指すなら、映画の特殊効果のようにすべてをデジタライズするほうがよい。しかしあえて作り物の胸や顔に塗られた絵の具

のような手業の痕跡を残すのはなぜか。それは鑑賞者と制作者の間のリアリティを保証する回路を確保するためのものにみえる。なぜならいまや完璧に作られたリアリティは、現実と区別がつかないのではなくて、仮想の現実と区別がつかないからだ。

1970年代の後半から制作を続けてきたシンディ・シャーマンが近年小道具を使い、特異でグロテスクな世界を構築してきた理由もそこにあるような気がする。匿名性に覆われ、あたかも作為のなさを装うモノクロ写真による初期の作品《アンタイトルド・フィルム・スティル》の方法論は、現実を擬態した仕掛け／からくりを読み取ろうとする意欲とそれが可能だった時代にこそ有用だったのだ。恐竜が身体の傍らを駆け抜け、象が車を踏み潰す映画の映像が現実と区別が付かなくなったいま、リアルを真似ることには意味がない。《セックス・ピクチャー》のおどろおどろしい小道具や吐瀉物のアッサンブラージュの非現実性が、むしろ現実を呼び起こすだろう。

この非現実性をいまファンタジーと呼ぶことにする。

森万里子がレプリカントやロボットのコスチュームで東京の街に現れるとき、それは擬態ではなくファンタジーとなる。時間を未来に少しだけずらすことによって、フィクショナルな空間は違和感なく現実と結び付き、近未来の姿を借りて東京のティピカルな姿を描き出す。お茶汲みでしかない女性、少女売春のように性対象にしか見られない女性、こうした女性たちの姿が、日本のビジネスマンやハイテクを売る電気街の中に点景として登場する。実に皮肉な現実の日本の自画像である。しかもこれらのファンタジーはライフスケールにまで拡大された写真パネルの中に存在するのだ。等身大のファンタジーはわれわれを困惑させるかもしれない。しかし血を流し死んでいく兵士の映像も、飽食する料理番組も、政治も、経済も、何もかも画像の中ではリアリティが等価でしかないいま、非リアルやあからさまな作り物にこそ真実在（リアリティ）が存在するように見える。そして悪夢のような現実が世界を覆いつくし、未来の夢が消し去られたときこそ、方法としてのファンタジーが復活するのではあるまいか。

［『月刊美術』1996年7月号、サン・アート］

鈴木了二作品解説

ボルヘスが小説の中で構想した図書館を建築的に実現するのは、きわめて困難であるようにみえる。それはこの建築物が物語の中でしかリアリティを持たない、単なる想像の産物だからというのではなく、ひとつの世界、すなわち宇宙を表徴したものとして捉えることができるからである。

あるいは別の言い方をすれば、異なる次元の世界に建築を構想するのに近いことかもしれない。たとえばわれわれは、縦、横、高さの三つの軸を持つ空間という概念によって成り立つ世界に存在する。これに対して、いま仮に2次元的世界、すなわち縦、横しか存在しない平面的な世界に住み、そこから3次元的世界の建築物を構想したとしよう。2次元の世界の住人は、けしてこの3次元的建築の全体像を見ることはできない。なぜなら高さという概念、すなわち空間という概念を知らないからである。このとき2次元的世界に現れるのは、3次元的建築の持つ任意の平面であって、それはつねに全体の一部分であり、「断片」ということになる。

ボルヘスの記述から建築家鈴木了二が読み起こした解釈に従って構想する「L型回廊」の構造を持つオブジェこそ、この2次元的世界に実現された3次元的建築のシミュラクラのようにみえる。このオブジェの持つ傾斜は「無限」を暗示する。これを見る者は、このオブジェがひとつの全体をなしていると理解してはならない。さらにL型の両端が切り取られることによって、そのものは部分となり、「断片」化される。また数十の脚を持つオブジェは、見方によれば小さな建築ともなり、あるいは大きなオブジェともなる曖昧なスケールを保有する。この歪められたスケール感は、われわれの身体を尺度として計られる空間に対する意識を混乱させることになり、ボルヘス的な、現実と神秘の繋がる、ある幻想と眩惑の体験を与えるだろう。

ここでは建築物を実現化したようにみえるオブジェが、それ自体において「バベルの図書館」を表現しているのではなく、あたかも投影図に投射された影のように存在するのである。しかし、それは実態のない影ではなく、現実界に確かな質量を持つ立体としての影なのである。

［『バベルの図書館図録』、NTT出版、1998年9月］

間隙を擦り抜けるとき——ダニエル・リベスキンドのリアリティ

広島市現代美術館で行われた第5回ヒロシマ賞受賞記念展『ダニエル・リベスキンド』展の東京展が実現されたのは、規模が縮小され、活動が沈滞しているのではないかと噂されていたNTTインターコミュニケーション・センター［ICC］が、未だ東京圏においてこのような大規模な建築展を短期間のうちに準備し実現し得る実力のある、ほとんど唯一の施設であることを示した結果だということは間違いないだろう。この希有な建築家の日本での希有な建築展を東京において見ることのできた人たちは、まずもってその幸せな邂逅(かいこう)に感謝しなくてはなるまい。

もともとこの展覧会は広島市が制定したヒロシマ賞の受賞記念展として広島市現代美術館を会場に構想されたものであった。したがって展覧会そのものは、このICCの会場に合わせて構想されたものではなく、実現される展覧会が、うまく当初の意図やコンセプトを再現し得るか、そしてなお、ICCにおける過去の幾多の展覧会と比較しても、意義あるものとして実現されるか、不安がないではなかったが、リベスキンド事務所の担当者やICCスタッフ、そして広島市現代美術館との緊密な連携によって、オープニング・セレモニーの折に参加者から洩れてくる感想を聞くに及んで、充分にその責は果たせたのではないかと思われる展覧会となったようだ。

建築家ダニエル・リベスキンドが現在最も注目される世界の建築家のひとりであることは言を俟たない。むろんその建築の斬新で革新的な業績がその評価の所以ではあるが、彼をさらに他から抜きん出る存在として際立たせるのは、社会的なメッセージ性、とりわけヒロシマ賞の受賞理由やニューヨークのワールド・トレード・センター跡地の再建計画案にも見られるように、自身の建築によって表現される平和に対する真摯な発言がある。1946年ポーランドに生まれ、ユダヤ系の血をひくという出自からも理解できるようにダニエル・リベスキンドの人生や哲学、あるいは歴史に対する深い洞察は、親の世代に受けたホロコーストの記憶から切り離して考えることは困難であるだろう。しかも、はじめイスラエルで音楽を学び、アメリカに渡り音楽家として活動を始めた後、建築に転ずるというその経歴の異色性は、建築界の異端的存在としての彼の不遇を予感せざるにはいられない。

建てざる建築家として長く彼の建築は実現しなかった。しかもリベスキンドの最初の建物となるべき栄誉を担ったはずの「ベルリン・ユダヤ博物館」にしても、構想から竣工に至るまで10年という歳月を要したのである。さらに建築事務所での経験が皆無であった彼が、行政の官僚機構という怪物と格闘しながら、あれだけ革新的で異端な建築物を実現した忍耐強さと粘り強さには敬意を表さずにはいられない。世間的には、国際的な建築家であるリベスキンドの意見は、その評価と権威によってほとんど100%の確率をもって実現可能であるように思われるかもしれないが、むしろ事実は異なる。異端であればあるほど、それはよい意味で前例がなく、革新的であり、真に未来的であることによって、まともに提案が受け入れられる可能性はごく限られたものとならざるを得ないし、度重なる館長の交代や名称の変更などベルリン・ユダヤ博物館の建設の行政的な混乱の顚末を聞く限り、それは洋の東西を問うことはないようだ。

しかし、リベスキンドの類い稀なる柔軟にしてかつ不屈の精神力は、10年の長きにわたる交渉により、未だかつてあり得ざる建築物を地上のものとして可能にしたのだ。その強靭な精神力で粘り強く実現に向けて努力を重ねる姿勢には、苦境にある文化施設に関わるものとして見習わなくてはならないだろう。とはいうものの、この時間の経過によって「ベルリン・ユダヤ博物館」はリベスキンドの手による最初の建物としての栄誉をほかに譲る結果となった。

ドイツの北部の都市オズナブリュックに建つ「フェリックス・ヌスバウム美術館」は、オズナブリュックに生まれ、アウシュビッツで非業の死を遂げたユダヤ人画家フェリックス・ヌスバウムの作品を集めた美術館で、リベスキンドの手による初めての建築物として1998年7月に開館した。ICCの展示室の最初の部屋を埋めるモデルはこの美術館である。実際の建築について書かれた文章がないので、この機会に簡単に触れておくこととしたい。

コンクリート、金属そして木材と、三つの異なった素材が融合した外観。建築途中で中世の遺構が発見されたため、この遺構を取り込むような形で設計変更がなされた。市立の歴史博物館に隣接して建つこの美術館は、ごく当たり前の周辺の家並みの中にあってはまさに「異形の景物」であり、周囲の民家からは反対の声が上がったというのも頷けないわけではない。が、しかし、そう思わされるのは一瞬のことに過ぎず、しばらくすれば、斬新な建物の佇まいに、未知なる空間が現実界に降臨する瞬間に立ち会う興奮と心地よさを感じてくるだろう。私がこの地を訪れたのは建物が建ってから3年の年月を経過して後のことであり、すでに木製の外壁は色を変え、その一部を蔦が覆い、建物沿いの中世の小道ともごく自然に親和して見えた。当然のことに訪れる来館者の数の増加と評判とともに、周囲に起きた反対の声は小さくなっていったという。

一見して建物内部へと通じる入口はわかりにくい。内部はなお一層複雑である。それは唐突に船の舳先のような大きな突起が展示室内に現れているからでも、斜めに切られた窓のせいでもない。この建物がわれわれの見知る建物の概念を裏切る、あるいは身体の記憶として知り得た建物の概念や在り方から遠く離れた存在であるからにほかならない。水平の床が積み重なり、1階の上に2階があるような遠近法的空間の公理が通用しないこの建物では、その法則性に慣れた身体が感覚を喪失したに等しい。水平ではない床、垂直ではない壁、細い通路によって結ばれた展示室を巡るにつれて、自らの位置を喪失する。この建物のどこに自分がいるのか、わからなくなってしまうのだ。「出口のない美術館」という呼び名は、この迷宮のようにすら思える空間を表徴するに相応しいだろう。そしてそれは、人間を抹殺するナチスの狂気に出口を捜して逃げまどった画家ヌスバウムの人生そのものをも語っている。

ダニエル・リベスキンド《デンヴァー美術館増築計画》の模型（写真＝大高隆。写真提供＝NTTインターコミュニケーション・センター［ICC］）

この美術館の外観をそっくりなぞって白色の紙製のハニカムボードで作り上げられたのが、第1室に展示される巨大なモデルである。広島市現代美術館の展示室に合わせたスケールによって作られたモデルであるが、その展示のヴォリューム感はICCにおける展示では一層際立ったようにも思える。周囲を巡る白い壁面には、アーノルト・シェーンベルグが旧約聖書を題材に作曲した壮大な未完の歌曲《モーゼとアロン》の第2幕の最後の部分の楽譜が描かれている。「言葉よ、汝、言葉よ、私にはそれが欠けている。」というモーゼの絶望の言葉によって未完のまま終焉に至るこの歌曲は、ジェノサイドによって突然に自らの生を断絶させられた画家フェリックス・ヌスバウムの生涯そのものを、その余韻の中で象徴するかのようにみえる。

第2室には「ベルリン・ユダヤ博物館」が、第3室には「北帝国戦争博物館」、そして最後の第4室には「デンヴァー美術館増築計画」のモデルがそれぞれドローイングとともに展示されている。

「ベルリン・ユダヤ博物館」のモデルの周囲を埋め尽くす人名は、ホロコーストによってベルリンから追放されたユダヤ人の名が記された『追悼の書』から取られたもの。また、「北帝国戦争博物館」の周囲の線は、地球の経度と緯度を表し、地球の断片を繋ぎ合わせて再構成するという建物の形を構想したときの基本的な考え方が暗示され、最後の「デンヴァー美術館増築計画」では東西に引き合う磁場がやはり地理的条件にインスピレーションを得た暗喩として描かれている。

展示は圧倒的なヴォリュームであり、見るものにその存在感を印象付ける。それは単に巨大な現実を模したモデルの存在感ではなく、そのモデルの背後にある現実の建築物それ自体の存在感でもあるだろう。また、入り組んだ細部も身体との密接した距離で現前する建物の複雑にからみ合う構造そのものが、モデルと展示空間との間にできたわずかな隙間を擦り抜けるように移動するとき、否応なく身体の薄い肌の皮膜を通して感得されるだろう。それは、現実の色彩や素材の質感を失った、白い紙の塊として立ち現れるモデルが、凝縮するリベスキンドの建築のリアリティでもある。

だが、リベスキンド自身はこの展示を単に建築モデルの展示として構想したわけではない。広島の受けた核爆弾による未曾有の惨劇によって生じた「広島の空間が世界に伝える転位（displacement）を論じ、それを建築言語のいう転位と関係づける」ものであり、「空間の空虚さと、建築の理念の物理的な存在とそのリアリティとのコントラスト」に至るものと述べ、「モデルでもドローイングでもない、その中間に存在する空間が、広島によって創出された永遠の裂け目によって導かれた光景なのだ」と言う。この言に従えば、モデルと展示の空間を擦り抜けるとき、リベスキンドの建築のリアリティを感得するわれわれは、その一方で白い閃光の中で起きた幾万もの生命が一瞬の内に蒸発する恐怖の惨劇の歴史の裂け目を擦り抜けているのだともいえようか。

［『Inter Communication #44』、NTT出版、2003年春季号］

絵画についての14の断章

絵画とは何か

「絵画とは何か」と問われたときに、大方の人はア・プリオリに「絵画」なるものが何であるのか知っているように思うだろう。

それは歴史的に人々が「絵画」と呼び習わしているものの呼称として、漠然と想念できるある何ものかが存在するということである。このとき人々は、実際に見たことのある、あるいは実際に見たことはないが視覚的な情報として認知している具体的な「絵画」のイメージによって、「絵画」とはこういうものだと蓋然的に認識している。それは学習的なものであると同時に、時間軸上で、言い換えれば歴史的にしばしば変容を受けつつ継承されてきた「絵画」というものの概念の、その時点でのその個人が獲得し得た認識の総体である。したがって、これらは個人的なものであり、ある図像についてある人はそれを「絵画」と呼称し、ある人はそれを「絵画」とは呼称しない事態が生じる。たとえば、印象派の最初の展覧会では、彼らの「絵画」は当時の「絵画」の規範に照らして、彼等以外の人々の間では「絵画」であるとは認知されなかったというように。

だが、ここで重要なのは個人によって「絵画」の概念が異なるということではなく、歴史的に「絵画」の領域が拡張あるいは変容してきたという事実である。「絵画」とは個人的であると同時に社会的であり、しかもなお、いまでもその概念は可変的であるのだ。

世界の解釈

歴史という時間軸上において「絵画」が変容あるいは拡張していくものとするならば、同時に空間的にもそれは変化する。すなわち空間的（地理的）な隔たりが、さらに「絵画」の形式や概念の差異を生む。またそれは外見上の単なる形態的な差異だけではなく、空間的に隔たる地域に居住する人々がそれぞれ理解する世界の姿、すなわち世界をどのように認識するかや、その世界像を構築する哲学、あるいは倫理や宗教といった人間の生に関わる根源的な問題がそこには含まれる。

東洋的な絵画の世界における遠近は、画面の下方に描かれたものが近く、上方に描かれたものが遠いという約束事によって決められている。これは線遠近法などによって描かれた西欧の写実的絵画が、現実の空間を数学的な秩序や自然科学の体系によって捉え、それを絵画の世界へ表すという、数学的に解釈された世界像や科学的認識のひとつの表現であったのに対して、明らかにそれらとは異なる認識や世界観の体系が存在することを示している。これは「絵画」が単に情緒や感覚の問題ではなく、科学、哲学、思想の問題でもあるということを示している。

曖昧な領域

ある図像が「絵画」であるか否かは、きわめて微妙な問題である。たとえば筆によって引かれた一本の墨の線が「絵画」として成立するか、あるいは「絵画」ではなく「書」という東洋独自の芸術の範疇として成り立つかは曖昧である。

ミニマルな表現によって表された図像が「絵画」であるというのは、単純な直線や色面で表された画面の純粋性や画家自身による「絵画」であるという宣言によって比較的容易に保証される。これに反して、デザインや意匠に使われた図像は、いわゆる純粋美術における「絵画」としては扱い難い。なぜなら、その制作の過程、とりわけ制作に至る動機には資本の要請という、表現のための表現や芸術のための芸術といった純粋な動機とは異なるものが存在しているからである。また、これらは大量に頒布されるものであり、この世に存在する唯一のものという、「美術」や「絵画」の持つ唯一性を侵すに違いない。

あるいはまた、ポスターや絵本に用いられた図像は「絵画」として成立するだろうか。それらは一般的に呼称するなら「絵」であり、絵画の範疇に入るかもしれない。しかしおそらく、何らかの形で商業目的に制作された図像であり、その目的の範囲において使用されている限りは、いわゆる純粋美術における「絵画」あるいは「美術」として成立するとは言い難い。なぜなら芸術そのもの以外の目的を持たない表現ではないといえるからである。

しかし、たとえばロートレックが劇場の宣伝のために制作したポスターが彼の「絵画」作品として認知されていったように、これらの図像が「絵画」や「美術」へと侵入してくる可能性はけしてないとはいえない。むろんこの場合、ロートレックの図像が描かれたその時代においては、このポスターが純然たる「絵画」作品であるという認識は、それを見る側にはなかったかもしれない。だが後年、専門家によってロートレックの芸術が評価されるに従い、さらにこれらが「絵画」作品や「美術」であると賞揚されることにより、やがてそれらは漸次、「絵画」作品として「美術」として認知されていったのである。

しかし一般的にいえば、絵画と呼ばれていないそれが、いつ、どのようなかたちで真性の「絵画」あるいは「美術」と認知されるかはわからない。また同時に、いまあるそれが将来「絵画」として成立するなどという保証もどこにもないのである。ここで顧慮されなくてはならないのは、何が「絵画」となるかということであるよりは、つねに「絵画」の周辺に「絵画」あるいは「美術」と「そうでないもの」のどちらにも決め難い曖昧な領域が存在していることである。

物質的な存在

ところで「絵画」に関わる問題を論議するときに、しばしば言及されるのは「絵画」が物理的存在であり、物質的限界性を持つものとして措定されている点である。たとえば、「絵画」という言葉によって思い描かれる事物は、一般的には具象であれ、抽象であれキャンバス上に絵具によって何らかの形象や図像が描かれたものであろうし、それらを「絵画」であると認識している。また、それは必ずしもキャンバスである必要はなく、板でもよく、紙の上に描かれていてもよい。また、絵具も油絵具でもよく、水彩絵具でも、あるいは墨であっても構わないだろう。すなわち何の上に描かれているか、その素材を問うことはないし、また同様に何によって描かれているか、その素材についても問わないようにみえる。ここで必要なのは、それが「絵画」であるためには当然それらが現実に存在する物理的なもの、言い換えれば物質的な存在でなければならないことである。

これは心に生起するイメージや映像のような、具体的な図像が認識されるが、それが物質的なものではないようなものは、平面上にそれが生成するとしても、ただちにそれを「絵画」とはいわないということである。また必然的に、それが無限に拡張する可能性があるとはいえ、物理的存在としてのひとつの平面の枠組みの中に成立し、まったく異なる平面を構成する図像が同時にひとつの「絵画」を構成することはない。すなわち、映像のように異なる図像が透過され重なり合ったり、幾重にも重なり合うことの可能な、想念されるイメージとは截然(せつぜん)と区別されるのである。

介在する人間性

しかし「絵画」が「絵画」であるためには、それが物理的な存在であるより前に何よりも人間の具体的な行為の痕跡（こんせき）として成立しなくてはならない。それは印画紙に化学変化によって色面が生成する「写真」が絵画でないように、また機械的に顔料が吹き付けられ、あるいは紙の上に盛られて図像が現れる「印刷物」が絵画でないように、身体の運動によって記された痕跡以外の図像は「絵画」と呼ばれることはない。したがってコンピュータそれ自身だけでは未来永劫にわたって画家となることはできないだろう。

しかしながら、もしコンピュータが人間と変わらない動きが可能な「身体」を獲得した場合、コンピュータによって制御された身体が絵具とキャンバスを用いて描いた図像は、もはや「絵画」と区別することは困難である。そこに作りだされた図像はある行為の痕跡を持ち、かつこれまで「絵画」と呼ばれてきた、紙や絵具などによって構成された物質的存在とまったく同質のものとして存在する。このときそこにある図像は、人間を介在しないということの唯一の違いを除いては、見かけ上は限りなく「絵画」に近い。

無限に延長する平面

写実的絵画に描かれるのは、矩形に切り取られた窓を通して覗かれる、絵画の画面から背後へと広がる3次元的空間の世界である。画面の手前側には世界はけしてなく、つねに奥行きとしての世界が存在する。さらにその世界は室内であったり、風景であったり、あるいは神の世界であったとしても、人間の視野や視界と同様に見えるところまでの限られた世界で、無限に延長しているわけではない。

同様に抽象的絵画の場合も、その多くはその描かれた世界が3次元的にであれ、2次元的にであれ、無限に延長しているわけではない。たとえばマーク・ロスコの茫洋とした形態と地の描かれた画面は、矩形のキャンバスの形状の中で成立をしているのであって、一見無限に広がるようにみえても、画面の矩形の限界を乗り越えて世界をイメージすることは困難だろうし、彼の絵画にとってそのようにイメージすることは無意味である。またジャクソン・ポロックのように画面の枠組みを乗り越えて存在するようにみえる作品においてすら、絵具の軌跡を丹念に追えば、矩形の枠組みの中の往復運動を見て取ることはけして困難ではない。このように世界がその平面上に無限に延長しているようにみえる抽象絵画においても、その多くはその平面の延長線上であれ、背後の空間であれ、無限に延長されることなく、ある限界の中で成立もしくは完結している。

これに対して世界が無限に延長している絵画が存在する。たとえば中村一美の絵画には、作品の画面の枠を越えて限りなく延長する図像が想念できると同時に、その任意の平面を自在に切り出すことができるだろう。このとき彼の作品はその平面上に無限である。さらに画面を交錯する任意の平面上にはまったく異なる無限の平面が延長しており、このような絵画は一切の空間的な限界から自由なのである。

脆弱な絵画

ところで、イメージの喚起力を「絵画」の重要な要素と見做す一群の作品がある。いわゆるペインタリー系の絵画である。図と地が判然とせずに絡み合いながら、色彩と形態により固有の絵画の世界が展開する。豊饒(ほうじょう)なイメージが横溢(おういつ)し、絵画の最も豊かな特質を現しているようにもみえるだろう。

だが、多くの展覧会場で目にするそれらはきわめて脆弱(ぜいじゃく)だ。圧倒的に弱いのである。そこには絵画の構造やコンテクストが存在せず、すべてが情緒や感覚に還元されてしまう。力なく浮遊するのはそれぞれの作家の属性として特化されたイメージに過ぎず、この薄い皮膜に映った図像をいくら転写してみたところで、リアリティは図像や形象のまわりに明滅する情感の彼方へと遠ざかってしまうとしかいいようがない。

写実のリアリティ

大写しにかつ克明に描写された人形の顔の写実的な表現が見る者を圧倒する加藤美佳の作品のリアリ

ティは、それが写実表現であるにもかかわらず、どこか摑みどころのない茫洋としたもののように感じられるのはなぜか？

それは彼女の絵画のプロセスが、幾重もの手続きによって成り立っているからである。人形を制作し、それを写真に取り、さらに画布へと拡大して転写していく。こうした複雑な過程を経ることによって、はじめは人形の内に存在したはずのリアリティは、次第に薄い透明なベールの向こう側へと追いやられていく。そしてこのリアリティが後退していくにつれて画面に現れてくるのは私性である。しかもそれは、どこか摑みどころのないものとして現れる。

通常写実的な絵画においては、描かれた世界は客体として確固たる現実となる。たとえば絵の中の林檎は林檎として、人は人としてそこにあたかも現実のように存在するだろう。だが、加藤の絵画はこの準則は当てはまらない。精緻で克明な描写であればあるほど、現実感は喪失し、人形は人形でなくなる。肌の温もり、密やかな息づかい、そういった感覚が幻覚のように見る者に立ち現れる。

この人形であるのか、命あるものであるのか、どちらともつかない曖昧な感覚の中に表出しているのが、この絵の描き手である「私」の有り様なのである。描かれる客体としての対象に投影される「私」は、モダニズムにおいては鮮明であった。明確な輪郭を持ち、自己意識を明瞭に読み取ることのできた「私」。だが、モダニズムが輝きを失い、漠然とした生存の不安が周囲に溢れるこの新世紀においては、生を主体的に生きることのできない、怯えるような「私」の曖昧な有り様がそこには描き出されるのだ。

片隅への視線

　福井篤は日常の何気ない視線に潜むイリュージョンを描こうとしているようにみえる。見えぬはずの小さなほこりや視覚の中に浮遊するゴミ。高原の花畑に変容する毛布。絨毯（じゅうたん）の敷かれた部屋の片隅に起こるミクロ的な光景や花柄の毛布の折り重なった光景に、ささやかな幻想の物語が描き重ねられる。それは映像や写真では表すことのできない、事物を描くということのみが表現し得る「絵画」の本質にかなった世界である。

福井篤《ゆうれい峠》（2002年。Courtesy of TOMIO KOYAMA GALLERY）

　しかもこの眼差しもまた「私」の世界である。部屋の片隅や視線のごく卑近な場所で繰り広げられる光景が原風景となる。遠い距離といってもせいぜい天井に下がる蛍光灯や窓から覗き見られる木々の影や雲でしかない。それ以上に視線は拡張することなく、つねに「私」の周囲に生起する世界を見上げるように徘徊するだけである。

　だがそれゆえに、この片隅への視線は親密に見る

法貴信也《Untitled》(2002年。©Nobuya Hoki. Courtesy of the artist and Taka Ishii Gallery)

側の「私」を誘う。社会への繫がりを拒絶し、心地よい「私」なる世界に沈潜する閉ざされた「私」。個人では抗うことの不可能な理不尽な死に包まれた新世紀の現実ではなく、この「私」のささやかな視線こそ、最後にすがるべきリアリティがあるのだ。

オートマティズム

あらゆる外界からの刺激や情報を遮断したとき、どのような図像が絵画に立ち現れてくるかは不明瞭だろう。自己の内部に沈潜し、瞑想と忘我の内に現れる「絵画」の世界。加藤や福井が「私」なるものとの回路を「絵画」の内に結んだように、法貴信也もまたこのような外部との交信の途絶えた「私」のうちに「絵画」を成立させる。

法貴の「絵画」はほとんど自動的に生成する。空隙を細い線が走り回り風景とも抽象的な図様とも取れる図像は、外部からの刺激を排し、悪戯描きのように身体の動きを自動的にトレースしていくのである。このとき主題らしい主題は存在しない。時折画面の中に生じる、愛すべき動物の形象すら意図的ではなく、法貴自身にとっても説明の付かない存在なのである。そこには図像がただほとんど自動的に立ち現れるのであり、筆を握り絵具を付け走らせるという意志は存在しても、何ものかを描くという意図や作為は存在しない。あるのは純粋な、描くという行為であり、その行為によってトレースされる図像である。

だが、その自動的に生成する世界は、混沌や無秩序とは無縁である。なぜなら理性や規則によって配されたものとは異なるある秩序が、あらかじめ与えられているからである。それが「重力」である。画布は何ものかに立て掛けられ、つねに鉛直方向に力を感じる自然界のルールの中にあり、平面上に置かれることも、また上下や左右の方向を無視して制作されることもない。そこにあるのは、世界の上下を確定し、ただ図像が氾濫する中心を失った安手の抽象絵画の混乱した世界とは明瞭に区別される、身体の方向に見合った自然的な法則である。もしこの上下の方向感覚がなければ、見る者を彼の「絵画」と正対させることなく、「絵画」との回路を失わせてしまうことになる。だからこの正置された画布の天と地の方向に走る法貴の視覚の方向が、イノセントに自動的に生成する「私」の行為の痕跡であり、「絵画」と見る者との間にかろうじて成立する回路なのである。

コンピュータ上で調合され、アニメーションのセル画のように均一に塗り込められた無機質な色面と雑誌のピンナップから写し取られた女性たちのいささか虚ろな表情のコラージュによって表現されるコケティシュな世界や、まるでフィギアの顔のような兵士たちの肖像からは、作者長谷川純が女性とは思えぬような、ボーイッシュな感覚を受け取るのではあるまいか。絵柄は都会的であり、現代的なセンスに溢れている。

だがこの群像や肖像からある特定の意味や社会的なメッセージを読み取ろうとしてもそれは困難であり、無意味である。また何か物語を読み込もうとすることも不可能であろう。こちらに向けられた「絵画」の中の人物たちが投げかけてくる視線は、オリジナルな図像の中で意味を終了し、長谷川の絵画の中では、もはや個別的な記号や単なる形態としての意味しか持たない。これらの意味を失った図像をかろうじて繋ぐのが、この絵の描き手である「私」の存在である。これらの図像は「私」によって選ばれ、繋ぎ合わされ、画布の上へと並べられ、定着させられる。意味が介在することなく、描くという行為によってこれらの図像は繋がるのである。

しかしながら、その絵がたとえ何ものも意味せず、何ものも指し示さないものであるとしても、見る側がそこに物語を想像することは自由であるだろう。最近作は特にそれを可能にする。たとえばそこには、ただ人物をコラージュしただけの画面とは異なり、植物や虹のような形態が現れ、現実ではないが、あたかも夢のような世界の架空の物語が読み取れるだろう。

だが、この試みはたちまちに失敗する。この世界を夢と見ても、なお、物語は始まることも終わることもないことに気付かざるを得ない。語るべき主語も叙述すべき述語もそこには見当たらないのである。言葉のシンタクスが不在なのだといえる。この統語法なき叙述は永遠に物語（ナラティヴ）とはならないのである。

ミニマルな具象絵画

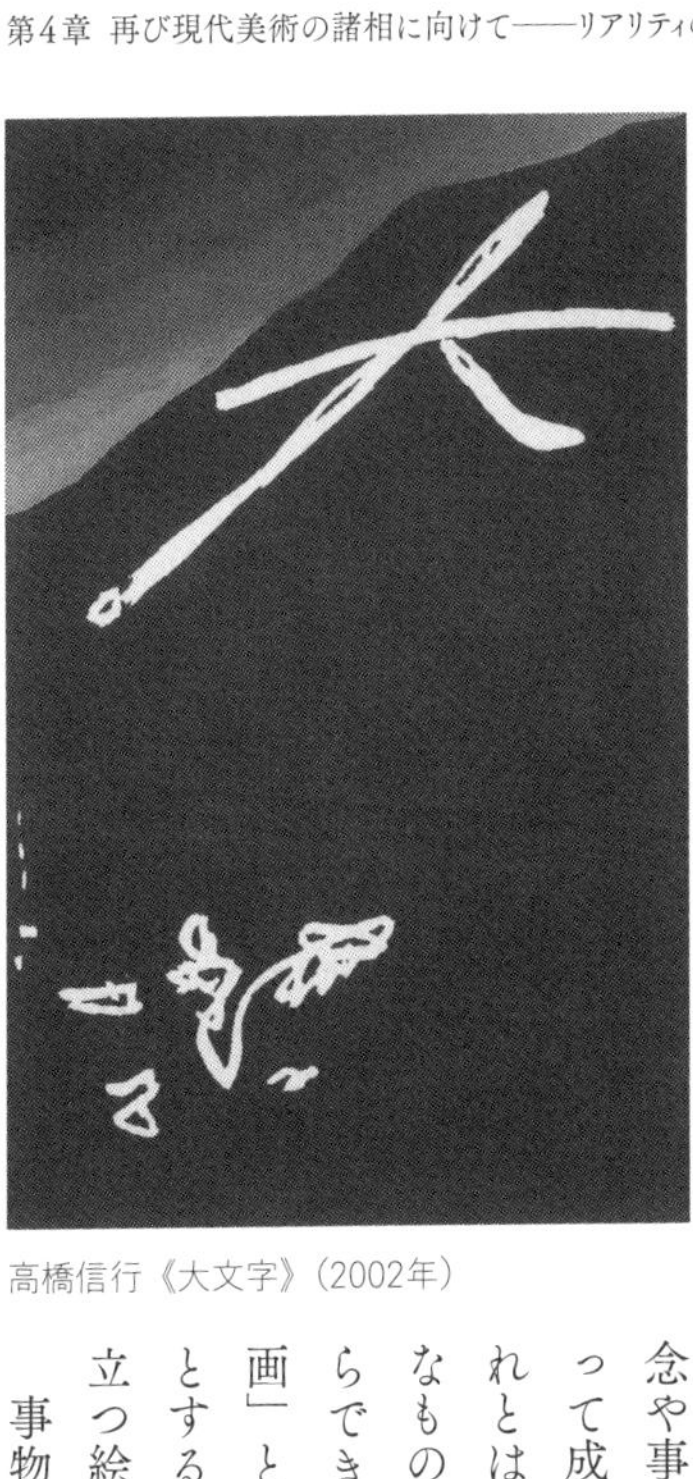

高橋信行《大文字》（2002年）

ある種の絵画が空隙を埋めようとする強迫観念や事物を付け加えようとする加算的意識によって成り立つとするなら、高橋信行の絵画はそれとはまったく正反対に、具象絵画をミニマルなものとして表現し得る限界、すなわち事物からでき得る限りの余分な要素を取り去り「絵画」として成立するぎりぎりの地点を目指そうとするものであり、いわば引き算によって成り立つ絵画であるだろう。

事物を示す最小限度の要素に形態をそぎ落と

していくというこの引き算的作業は、あるところまでは総量の計量に基づく機械的かつ理知的な作業であるが、その最終局面ではきわめて感覚的な判断となる。それはミクロン単位で研摩作業を行うレンズ職人の手技や微妙ないくつもの音源を重ね合わせていくミキサーのヴォリューム・コントロールのような、個人の感覚とその手作業を制御する身体能力に依存する繊細な仕事であるに違いない。したがって絵画の形象に現れるのは高橋の個性そのものであり、また高橋の世界に対する最小限度にまで研ぎ澄まされた解釈と表現といえる。

また同様に形態に付される色彩もシンプルである。色数をあまり多くせず、必要以上の抑揚や筆触による濃淡を押さえ、ミニマムな表現に徹している。そしてこのときも色自体をどのような色調や深みにおいて表現するかという問題については、非常に微妙で繊細な感覚による選択や判断がなされている。この感覚的判断が高橋の色彩の奥行きであり、日本の伝統的色味を援用し、新たな「絵画」の可能性を試みる高橋の絵画の個性にほかならない。

戯れる視覚

絵画の技量においては非凡とはいえないが、その着想のユニークさが群を抜くのが渡辺聡(わたなべさとし)である。丸いドーナツを生地から抜くように、丸いシールとそれを切り取った残りの地のふたつの部分に1枚の絵が別れる。これを再度キャンバスに並べると、手品のように同じ図柄にしか見えない2枚の絵が誕生する。しかし厳密に言えば、それぞれ微妙に異なるが、並べられたそれらはあたかも双児の絵画のように見る者には同一に映るだろう。部分のわずかな違いを全体の中で認識するのは困難であるという、人間の視覚の曖昧さが図らずも明らかにされている。

また切り取られたシールの配列の比を変化させることによって、思いもよらなかった図像を現出させる。たとえばシールとシールの間隔を原図と等倍にすれば、絵画の大きさはオリジナルと等しくなり双子の絵画となるが、シールとシールを密着させると原図より縮小した図像がまるでミニチュアのように現れる。あるいはシールの間隔を2倍にすれば、原図の2×2倍の大きさの拡大された図像が現れ、興味深いのは、このときシールの密度が1/4となり視覚情報が拡散した状態であるにもかかわらず、目を細めてみるとシールに乗る絵具の濃淡の中に原図の図像がうっすらと浮かび上がってくることだろう。

渡辺の絵画は人間の視覚の在り方や図像の認識の仕方など、絵画とそれを見る仕組みについて絵画を見る者に原理的な省察をもたらす。それはまた逆に絵画を見る側だけではなく、絵画を表す側にも情緒や感覚のみによって処理することのできない問題が存在することを示す。だが、注意しなくてはならないのは、こうした技法が、描かれる対象の選択や主題についての考察を抜きにして用いられるならば、単なる「視覚の戯れ（たわむれ）」に堕してしまう危険性を孕んでいることである。

再び、絵画とは何か

「絵画」の総体を語ることは難しい。だが、ひとつだけ言い得ることがあるとすれば、唐突なようだが、ゲルハルト・リヒターには「絵画」のすべての問題が包摂されているように思われることである。これはほとんど直感的なものである。「絵画」を形作る初源的なイメージの問題にしても、また「絵画」という形式、抽象や写実など「絵画」周辺に生起するさまざまな問題が、彼の「絵画」を前にすると現前してくるように思えてならないのである。

[『絵画新世紀図録』、広島市現代美術館、２００３年10月]

田口和奈――非在ということ

人間の視覚は、複雑で膨大な情報の処理を瞬時に行い、外界の事物を具体的な像として認識させてくれる。形、色などの事物に関わる情報や、空間に関わる情報、さらに事物が動くという時間に関わる情報など、幅広く性質も異なる情報が、分裂することなく、ひとつの事象として統合的に知覚されている。すなわち、単純に網膜に映った像が脳に伝えられ、人間は事物を知覚し、視覚的に認識しているのではない。視覚情報は、視覚に関わる情報を処理する脳の視覚領野のそれぞれ異なる部位において、獲得された情報が並列的に処理され、これらの処理システムの作業の結果として知覚が生じるのである。しかも、情報の種類によって知覚に要する時間に差があり、たとえば動きより色の記録が時間的に早く処理されるなど、同時に起こったことをリアル・タイムに視覚の上で知覚しているのではない。しかし、人間はすべてを同時に知覚している。これは脳の中にこれらの時間差を調整し、結び付ける処理システムがあることを示していると考えられている。[*1]

このような複雑な情報処理の結果、外界に起こるすべての事象を、目という感覚器官を通して、人間は視覚的に知覚している。さらにこの獲得された視覚情報は、不断に情報として蓄積され、参照されていると考えられるだろう。もし不断に情報が蓄積されず、その蓄積された視覚情報を参照していないとしたら、おそらく人間は、視覚的に外界を連続するものとして認識することはできないのではあるまいか。この情報の参照、あるいは別の言い方をすれば、照らし合わせは、知覚の合理化、効率化でもある。

生存する個体にとって、視覚などの知覚情報の処理の速さは、自己の生存を左右する。したがって、外界を認識する過程で、その認識や判断の速度を早めるために、あらかじめ獲得された情報を参照し、その情報の蓋然的な確定を行う推理や推断が、視覚情報の認識や判断に含まれていても不思議ではない気がする。あるいは情報の処理の過程では推理や推断が介在しないとしても、情報を受ける主体の中では容易に推理や推断が起こり得るといえるのではないだろうか。

とするなら、実は田口和奈(かずな)の作品世界は、こうした推断や予断が含まれた人間の視覚の持つ処理システムや思考の過程を巧みに突いた表現といえるかもしれない。

「写真」は「描かれたもの」ではない。さらに「描かれたもの」は「写真」ではない。

このふたつの命題は、人間の視覚的な認識の経験的な前提となる。これは人間の判断の効率化や合理化の前提となると同時に、視覚による知覚のシステム自体あるいは思考の過程に現れる前提ともなるだろう。またさらにそれは表象的にのみ当てはまることでなく、写真の内容それ自体が、つねに現実の空間を切り取ったものであることや、描かれるもののリアリティの多くが、写真に撮られたようなリアリティに及ばないという意味をも含んでいる。

つまり、人は写真を見たとき、その写真自体をつねに写真と認識するように知覚のシステムが推量、あるいは思考の過程がそのように推察し、さらに写真に映し出された対象を現実と認識し、絵画のような仮構的なものと見做したり、非現実の世界であるとは、初めからは判断したりはしないということである。

田口の作品の初見は、この推量によって、モノクロームの写真として判断され、さらにその対象が実体のある現実の被写体であると認識しようとする。この過程はきわめて自然であり、当然のもののようにみえる。

だが、田口の《私はあなたに似たいのです》や《黒から白へ》など陶器をモチーフにした作品を見たときのように、多くの場合、作品を前にして視覚は翻弄されることになる。あたかも現実の、実体のある陶器のように見える対象だが、鑑賞者は微妙に現実のそれとは異なる感覚を受ける。見る者の心の内に現れる微細な違和感。それは実際に陶器を撮影した写真の記憶を呼び起こし、照らし合わせを行う視覚における知覚のメカニズムの中で生じる、実に微妙な、居心地の悪いズレであるだろうか。この視覚的な疑念が、なおいっそう田口の作品を注視させる。

しかし、この注視の先にあるのは、焦点の合わないレンズのようにいつまでもぼんやりとした、曖昧で居心地の悪い確証のなさである。本物の陶器であるのか、ないのか、判断の付かない対象物が目の前に居座る。静謐で、透明であるにもかかわらず、黒白の世界が真にリアルには感じられない、何かある違和感。この微少な違和感は今回の新作である肖像のシリーズにも通底するものであるようだ。

目や唇、鼻や髪型など身体の部分を雑誌の写真などから切り取り、組み合わせ、架空の人物の肖像画として描かれた女性像を、さらに写真に撮り作品化する。この作品からは、ピンナップやファッション雑誌のモデルのモノクロームの写真の肖像であるかのような印象を受けるかもしれない。だが子細に見れば、解剖学的にあり得ない身体のディティールの配置の奇妙なねじれや歪みが、女性たちの現実味を削ぎながら、やはりここにもある違和感や、現実との微妙なズレを感じさせる。あえて現実のものだと見做そうとすると、それは畸形の人型の奇態な模型(モデル)を集めた博物学の標本写真でもあるだろうか。

視覚はつねに人間をあるべき姿として記憶し、参照する。したがってわずかな首から肩への脊柱の歪みや、顎と頬骨の不可解な位置関係などの微妙なズレ、何処とは明確に指摘することが困難ではあるものの、感覚的に現実との不一致を微(かす)かに嗅ぎ取るのである。

この現実と非現実への揺らぎは、田口が自在に用いる絵画と写真という技術(テクネー)の間を往来することによって増幅する。絵画はかつて、古代ギリシャの画家ゼウクシスが残す、描かれたブドウを小鳥が啄(ついば)みにきたという逸話のように、現実の似姿を二次元的に実現してきた。絵画における迫真性や空間的なリアリティは画家たちの宿望でもあったであろう。写真という技術はその宿望を視覚的にやすやすと手に入れたが、同時に絵画の持つマチエールを失うことになる。田口の作品はこの両者、すなわち迫真的なリアリティと筆触を、微かな残滓(ざんし)として作品に内在させている。このことによって、写真でもあり絵画でもあり、また写真でもなく絵画でもない存在として作品が立ち現れる。

オールド・ファッションのモノクロームの肖像は、確かにモノクロームの絵画のように見える。しかし絵画であるなら、実在するモデルを想定できるのであろうが、そのモデルは存在しない、不在の肖像であるという。だが、これは不在というよりは、在らざる存在、存在ならざる存在という意味において、いるにもかかわらず、いまここにはいないという意味を含み得る「不在」であるよりは、存在そのものの否定である「非在」がふさわしいように思えるのだが。

*1——セミール・ゼキ『脳は美をいかに感じるか』(河内十郎監訳)、日本経済新聞社、2002年2月、pp.127-146。

[『田口和奈展リーフレット』、広島市現代美術館、2006年8月]

在るということ——菅木志雄の世界

……開かれとはあらゆる美的享受の状況であり、すべての享受可能な形は、美的価値を備えたものである限り〈開かれた〉ものである。ウンベルト・エーコ[*1]

1970年7月京都国立近代美術館の展覧会において発表された《無限状況（窓）》は、いまなお菅木志雄の代表作として鮮烈な印象を残している。建物の半開きになったブラインドと窓に木の塊が斜めにただ無造作に挟み込まれたように見える作品。モノクロの写真によって、逆光の中で室内が黒いシルエットになり、外の風景が白く眩しく発光し、その衝撃が印画紙に定着され残っている。

このとき発表されたもうひとつの作品の写真が残る。建物内部の階段のステップに砂が塗り込められ、階段が斜めの平らなスロープと化した作品《無限状況（階段）》だ。下から上に見上げるアングルのその写真には、整地された砂地の表面に微妙なアンジュレーションが残り、階段のステップの稜線が横一直線に砂に見え隠れしている。ここには日常的な光景が、作者の「行為」によって変容し、私たちの知ることのなかった世界が現出している。これは戦慄的であるとさえいえるほどに、私たちの眼差しを覚醒

『KISHIO SUGA Existence』会場風景（2001年、金沢美術工芸大学ギャラリー。写真＝著者）

させる。そしてそれは何より「美しい」のだ。

かつて美術は造形的なテクネーを要求した。それは常人が及ぶところのない技の極限の世界である。それは神の衣装を纏い、ただそのものにしか降臨しない唯一性としての技。それはときに秘伝であり、ときに個性であった。しかし菅はこれらを軽やかに捨象し、「もの」の存在や意味の純度を高めるためにひとつの「行為」としてのみ用いる。常人にも、多少の訓練を施せば実現し、繰り返すことが可能な、唯一性を捨象した「行為」としてのテクネー。それは媒介であり、また触媒でもあるだろうか。

だがここで忘れてはならないのは、この「行為」を統御するセンスであり、思考であるだろう。またそれは「もの」から意味性を剝ぎ取ることにもなる。だからそれらは結果として世界の解釈の表出であり、菅的世界像というものになるであろう。このとき、おそらくは「もの」に寄り添う「言語」は、初源的な意味に立ち会わなくてはならなくなり、幾十にも覆われた多義性を排除され、「在るということ」としてのみ現れなくてはならないのではあるまいか。すなわち、砂に埋もれた階段は、階段という意味を喪失し、窓は窓という意味を失い、純粋に現前する存在となるということであるだろう。

世界に存在する「もの」には「言語」によって名前が与えられ、意味や概念が付与される。意味や概念は詳細に定義づけられ、厳密なものとしてあろうとするだろう。抽象的な概念は形而上的なものとして、また言語はメタ言語として、さらに現象は定理や数式として、普遍的な存在であろうとする。だがしかし、延長する空間においては、おそらくはどのように精緻に世界を構造化したとしても、あらゆるものが、短い長いという別なく宇宙の消滅の際には微細な粒子となって消えていく。菅はその過程を「行為」として、不可避の過程として辿るのだ。

このふたつの作品はもはやこの世にない。存在のない存在の世界は可能か。それは、在るものがすべて消滅した世界は存在するか、ということでもある。「行為」は確かに存在したが、その存在の場所にはもはや何ものもない。ただ記憶に束の間留まり、また記録として微かに痕跡を残す。だがそれでもなお、見る者の眼差しの絡まったその「場」の重力は、時空を超えて、余韻のように私たちを震わせ続けているようにみえてならない。存在の重さとして……。

*1——ウンベルト・エーコ『開かれた作品』（篠原資明・和田忠彦共訳）、青土社、2002年6月、p.104。

〔『KISHIO SUGA Existence』、金沢美術工芸大学、2010年2月〕

美術について、あるいは冨井大裕の作品について

「美術とは何か」という問いに対して、それは「ひとつの制度」なのだと答えられるかもしれない。というよりは「ひとつの制度」として捉えると理解しやすいのではないか、ということである。あるいはそのように考えてみようということである。

これは簡単にいえば、社会の約束事によって決められたものであるということである。したがって、他の約束事（ルール）がそうであるように、絶対的なものではなく、つねに相対的なものであり、恒常的なものとして現れず、可変的なものとして現れる。しかしまた、一方で、ある時限的な（歴史的な）仕方で、クライテリア（基準）を持ち、そのクライテリアによって明快に決定付けられているものでもあるだろう。

厳密に言えばまだ作品と呼ばれていない作られたものが、この基準に当てはまるか当てはまらないかを考えるとき、最も効果的な方法はエクスペリメント（実験）である。実験とは、古来より真実の証明の方法として用いられてきたものであり、明証性の拠り所であり、根拠でもある。じつのところ冨井大裕の方法もその過程においてこの実験に拠っている。あるものが作品になり得るか、なり得ないか。そ

れを形にし、発現させてみて判断するということである。

ただここで問題なのは、この実験の結果は数値で示されたり、疑い得ないものとして明快に立ち現れたりするものではないということである。それはものの側に判断の主体が存在せず、それを見た側の判断に委ねられるからである。すなわち、このとき作者と鑑賞者という複数の判断の主体が存在し、いくつもの判断が存在することによって、つねにそれ自体は、蓋然的にそれが作品であると考えられているに過ぎない。したがって、第一義的に重要なのは、それを作品であると判断しなくてはならない作者の判断であるだろうか。

冨井大裕個展『鉛筆のテーブル』会場風景（2010年、switch point。写真＝著者）

だがこのとき作者は公明正大に判断を下すわけではない。かなり恣意的に、またかつ直感的にこれを作品と判断し、そのように呼ぶのである。だから作者は作品と呼ぶのにそれを作品ではないという者が現れる。また確からしさの観点から見ても、作者の側にも、また作者以外の側にも、その判断に誤謬が含まれる可能性は否定できない。したがって、議論は絶対的なものとはならず、つねに相対化されてしまう。さらに事態を複雑にするのは、これらが単に作者の側と作者以外の側という、ふたつの要素の中で決することのできるものではなく、作品といわれるものやそれを見る作者や作者以外の者の社会的な関係性を排除することができないことにある。

冨井大裕の作品はこの揺らぎの中で展開する。作品となり得るか、なり得ないかの境界線上を、しかもこの境界線はその性質上、内側外側のようなあれかこれかの二者択一ではなく、あれもこれもでも、またあれでもなくこれでもないようなものとして現れるのであって、にわかには決し難いものになるだろう。

したがって、われわれはまずは楽しむべきである。「作品であること」をではなく、「作品であるかどうかの揺らぎ」を。それが冨井大裕の作品（この時点ではそれは冨井が作り出したものでしかないのだが）を見ることのひとつの意味でもあるだろうか。ただし、彼の作品にはすでに「作品」と決しているものもあるので、それはそのように見る必要はある……。

［『冨井大裕個展「鉛筆のテーブル」リーフレット』、switch point、2010年11月。『switch point／冨井大裕の10年』、switch point、2020年1月に転載］

風間サチコ——可能性としての木版画

電子メディアの時代だといわれて久しい。確かにあらゆる情報が、ネットワークとなり電子媒体化して液晶画面の中から語りかけてくる。美術の分野といえどもこうした状況は例外ではない。もはや歴史的名画さえも、肉眼で見るよりも鮮やかで微細な画像となって目に飛び込んでくるだろう。

こんな世の中で、版画、しかも木版という、最も時代遅れともみえる方法によって現代美術の世界を生き抜こうというのは、余程の決意でもなければできないことのように思われる。だが風間サチコは実に飄々(ひょうひょう)と、この彫刻刀で彫られ、ガサガサとした墨の刷り跡が踊る、木版独特の表情の作品を作り続けている。とてもユニークな存在だ。

鮮やかで派手な色彩が動き回る電子媒体の世界とはおよそ対極的ともいえる、アナログで、時代遅れのようにみえる白黒の世界。しかしそこにはレトロな風情とともに、日本の戦前と戦後が渾然一体となって醸し出す「昭和な世界」が展開する。しかもそれはロボットや巨大な戦艦が登場する非現実で空想的な世界である。そこにはサイエンス・フィクションといった格好いい横文字よりも、「空想科学小説」や「冒険活劇」といったレトロなキャッチフレーズの方が似つかわしいだろう。駄菓子屋の菓子類のラベル、貸本屋の漫画本、古い映画のポスターなどなどアナログで人間臭い、郷愁の彼方に消えていった儚(はかな)い記憶のような図像が、独自の批評と統語法によってちりばめられる。風間独自の世界だ。

メディアの新しさが評価されがちないま、浮世絵版画や創作版画といった日本固有の表現を生んだ木版の世界をいま一度見直してもいいのではないか。風間サチコの仕事を見ていると、彼女自身の個性と才能を大いに感じると同時に、こうした版の新たな探求の可能性についても改めて気付かされるのである。

[『PAT in Kyoto 京都版画トリエンナーレ図録』、PAT in Kyoto 京都版画トリエンナーレ実行委員会、2013年2月]

ブルース・ヨネモトの世界――「金継ぎ」的構造論

ブルース・ヨネモトは映像表現を主体とし、普段は映像インスタレーションを中心とした展示を行うアーティストである。しかし今回金沢で行われた展覧会では、こうした映像作品のほかに、日本の陶磁器の補修のために編み出された「金継ぎ(きんつぎ)」の技法を用いた作品が展示された。一見かなりかけ離れた映像と陶器のオブジェの並ぶ会場だが、不思議なほどそのふたつのジャンルの作品には違和感がない。

もともと日本で版画を学び、兄ノーマン・ヨネモトとともに映像制作に携わるようになったブルース・ヨネモトの創作的関心は、幅広い。特にイタリアのジェルマーノ・チェラントらの始めたアルテ・ポーヴェラに対する関心など、ものそのものに対する即物的な存在や在るという事柄など、ものの物質性にも大きな関心や問題意識を持っていた。さらに自己の人種的なアイデンティティから日本の文化や文化様式、さらには欧米とその他の国々の文化とのさまざまな違いにも関心を抱いている。

こうした背景を理解すれば、彼の日本の古典的な漆と金を使った修補の技法である「金継ぎ」について研究するというモチベーションを理解できないわけではない。一度壊れて器としての機能を失ったものが、「金継ぎ」によって再び元の形を取り戻す。しかもそれは元の器の価値を上回るものとして珍重されるのだ。

これは西欧的価値観とは大きく異なるだろう。欧米においては、完成されたものが最も完全であり、その姿が一度失われ、しかも「金継ぎ」という欠損を埋める金の存在によって、欠けた部分が露わにされ、傷だらけの形として再生したものは、以前の完成されたものの持っていた価値を上回ることはない。なぜなら神の「全き姿」のように、完璧さ以上の価値はないからである。壊れたものをつぎはぎしても失われた形は再生しないのである。

しかし日本ではこの「金継ぎ」によって再生した器を愛でる。以前の形が再生したのではない、傷の修復痕が新たな趣となり、風情となって、さらに価値が加わるのである。ブルース・ヨネモトはこうしたギャップ、価値のクレバスのような日本と西欧に横たわる裂け目に興味を持ったのではあるまいか。

さらにブルースはそこに西欧の美術のコンテクストを絡める。何の変哲もない市販されて大量生産される「既製品」、すなわちレディ・メイドの陳腐な土産物のような皿やキャンディーの入った壺に「金継ぎ」が施される。これはものが在るということの物質性に依拠する、デュシャン以来の、またアルテ・ポーヴェラ的な文脈を敷衍することである。このとき「金継ぎ」は西欧の価値や美術の文脈に読み込まれるのである。

そしてもうひとつは西欧的文明の現代的なアイコンを使うことである。アメリカの消費文化や大衆文化を象徴するような漫画の主人公の姿を写した壺や皿。さらにはゴシップにまみれ、最後は悲劇のヒロインとなった王女の肖像。これらが砕かれ破片となり、金や銀によって継がれるとき、そこには現代社会における消費や大衆文化のアイコンがそのイメージを破壊され、再構築される。ここにはウォーホルが問い掛けた消費社会の偶像に対するアイロニーが込められるだろう。大衆社会に消費され、擦り切れ、イメージが陳腐な再生産の複製品と堕していく有り様をアイロニカルに表象する。西欧的な視点から眺めれば、「金継ぎ」を施されてもこれらのイメージは価値あるものとして再生したのではない。むしろ痛々しい傷痕を晒す大衆社会の哀れな肖像としての姿を現し、西欧的な意味のコンテクストに回収されたに過ぎないのである。

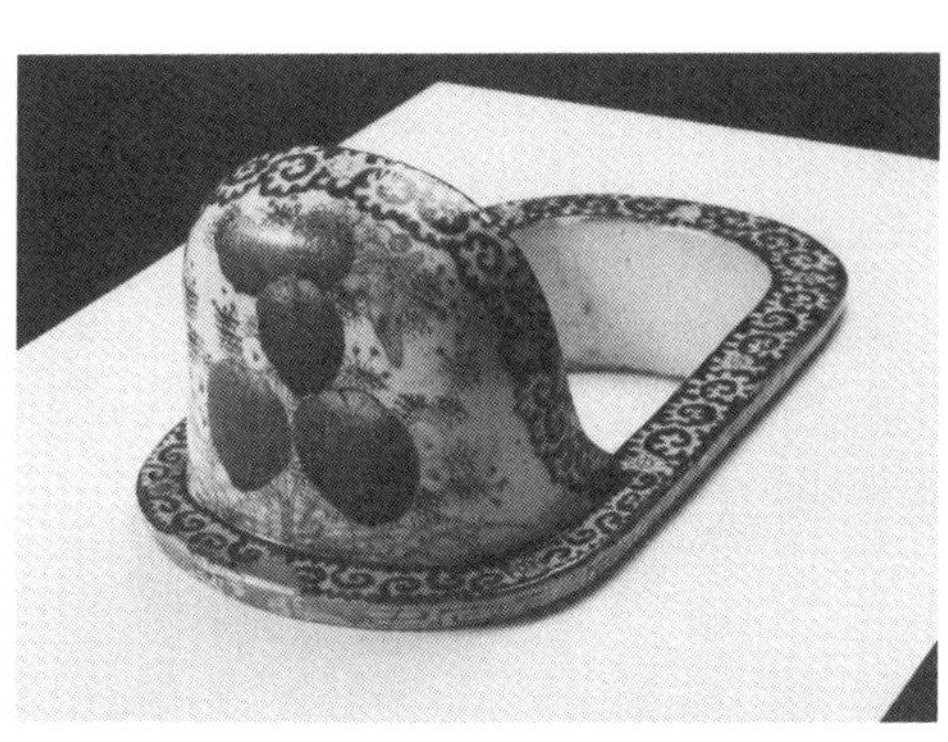

ブルース・ヨネモト《Kinkakushi-Kintsugi》(2012年。写真＝Mitsu Tsutomu。写真提供＝金沢美術工芸大学)

しかし一方、その「金継ぎ」を施された皿や壺を日本的な眼差しから眺めると、情緒や趣といった日本の精神的な美意識へ帰属しようとする、もの自体の願望や、さらには何もかも消費尽くし、その後に巨大な廃墟のようなゴミの山が構築されていく現代社会の消費の構造が、欧米と日本という対比の中で皮肉を込めて語られるようにみえる。

そしてそのアイロニーの頂点には、「金継ぎ」された日本式の古い便器が作品として飾られるのである。デュシャンの作品《泉》に対するオマージュとしてレディ・メイドの系譜に見事に連なり、不浄のものが崇高な美意識へ変転する構造をユーモアとともに表現する。それはただオブジェが作品なのではない。ブルースがこのオブジェとともに示す、日本的思惟の在り方と西欧的思惟の在り方の溝や剥離を埋めるアイロニーやコンテクストを、まさに「金継ぎ」のように表すのである。

[『you can't step in the same river twice: a survey of recent works by Bruce Yonemoto 図録』、金沢美術工芸大学、2013年3月]

幼少期から養う鑑賞眼――ロンドン現代美術事情

現代美術について尋ねると、「難しい」「何が描いてあるのかわからない」などの感想が即座に並ぶ。確かに現代美術の多くは、ふだん目にしている美術とは違い「どう見てよいのかわからない」というのが本音かもしれない。また現代美術は大人のものであるよりは、若者のそれというのが日本では一般的だろうか。

だがロンドンでは違う。先頃訪れた王立美術院では、現代絵画を代表する画家アンゼルム・キーファーの大規模な回顧展が行われていたが、この観客の主役は大人である。鉛を用いたオブジェや歴史に題材をとった難解な絵画の前で、じつに熱心に多くの人が鑑賞していた。この熱気は日本でいえば有名博物館の名宝展の会場に例えればわかるだろう。現代美術に対する熱い思いが伝わる。

これは現代美術の殿堂、巨大な美術館テート・モダンでも、また市内のギャラリーでも人の数こそ違え、大人が熱心に鑑賞している様子は変わらない。

この日本との差はどこから来るのか。そのことを考えるヒントがある。それは現代美術を専門にするホワイトチャペル・ギャラリーで目撃した光景だ。ここではリチャード・タトルという、布や木を使っ

美術館で先生と話をする制服の女子生徒たち（写真＝著者）

た抽象的な作品を作るアーティストの展覧会を開催していた。

『私は知らない』という展覧会のタイトルと解説を読んでいたときのことである。若い女性のインストラクターが、子どもたちにギャラリー・トークをするので場所を空けてほしいというのだ。見ると、そこには幼稚園児20人あまりが可愛く並んでいるではないか。まだ言葉も覚束ないような幼稚園児に現代美術は無理だろう。そう思う間もなく、トークはいきなり展覧会タイトルが大事なのだということから始まった。

この直球勝負ともいえる導入には驚かされた。なぜなら現代美術では何が表現されているかを考えることが重要であり、その手掛かりのひとつが展覧会や作品のタイトルだからである。もうこれでこの子どもたちは、内容の理解の有無はともかく、タイトルが重要であることはしっかりと覚えたに違いない。

さらに木枠の中に白い布が押し込まれて壁にかかっている作品の前でも、いきなり「なぜこの作者はこんな表現をしたのだろう？」と作品に対する本質的な問い掛けをする。子どもたちも「何かうしろに隠したかったんじゃない？」などと臆することなく答える。ここには正解や知識を求める態度はない。必要なことは、美術を見ながら考えるという行為である。こんな鑑賞の本質的な体験を幼稚園から積んでいれば、現代美術が難解だとは思わずに身近なものになるのは当然のことではあるまいか。

そのほか、テート・モダンのコレクション展の会場では、制服姿の中学生たちに何度も遭遇した。また大人を対象にしたガイドツアーもあり、美術館備え付けの簡易な折りたたみ椅子を持ち運びながら、作品の前でガイドの解説を聞いている。つまり、入場料が無料であることや鑑賞のためのサポートによって、現代美術を楽しむ機会がふんだんに用意されているのだ。日本でもロンドンの幼稚園児のように、現代美術の本質的な理解を幼少期からできるシステムを美術館がもっと積極的に考えるべき時期に来ているのではないだろうか。

［『北陸中日新聞』2014年12月27日］

見えるものの原理から——大岩オスカールの絵画世界

知覚、認識、想起、予期、心象化は、すべて画像によって、おそらく言葉によるよりはずっと容易にさえ惹き起こせる。画像制作および画像知覚は2万~3万年の人間生活にわたって続けられており、この達成行為は、言語と同様に我々だけのものである。
……ジェームス・J・ギブソン[*1]

アフォーダンス理論で知られるジェームス・J・ギブソンが、視覚とその知覚の問題を考察する中で、絵画における写実について言及している個所がある。

そこでは、絵画における写実的表現は、固定された単眼視によって表現される、ただ1点の固定的な視点から捉えられた現実味なのであって、実際の世界、すなわち私たちが複眼と身体的な移動によって知覚している現実とはまったくの別物であり、人は現実と絵画の世界を見誤ることはないという。[*2]

この指摘は、どんなに迫真のリアリティが写実的絵画にあったとしても、視覚の理論からすれば、現実世界を絵画の世界と等価なものとして捉えることはできないことを意味している。したがって、写実絵画が単純なリアリズムを追求しただけでは、画家の精緻な描写や驚異的な技術に賛嘆することはあっても、もはや絵画表現として今日的な意味を持たないということでもあるだろう。

私たちがいま単なる写実的な具象絵画に何か満たされないものを感じる理由は、まさにここにある。絵画は古来、たとえばルネサンスにおいては、現前しない神の世界を写実的に描写することによって、現実の世界と非現実の世界を繋ぐメディアとして人々にリアリティをもたらした。また写真が発明される以前には、目の前の光景を、すなわちありのままの現実を写し、その光景をその場にいない者に生き生きと伝達していく役割を絵画は果たしていただろう。さらには近代になり、印象派が行った光の粒子を色彩の粒子に置き換える具象絵画としての表現実験も、いまや過去のものである。すなわち、具象的な絵画にはこれまでとは別の、あるいは新たな課題が与えられなければならないということである。

画家大岩オスカールはそのことを充分に知っている。

大岩オスカールは具象の画家である。だが彼は単純に世界をありのままに描くことはしない。むしろ夢や想像を基底にしたファンタジーの世界、浮遊するような、現実には起こりえない光景を描いているように見える。それはいかにも情感的で論理や科学といった現実的なものから遊離した非現実的な世界であると思われている。一言でいうならば「空想的」な絵画だと。

だがそれは本当のことであろうか。描かれたものをそのように捉えるのは見る者の自由である。しかし大岩オスカールの描く世界の絵画としての意味を問うなら、その回答は誤りではないのか。また、ある者は社会批評と捉えて「社会派」[*3]と呼び、ある者は「宙吊りになった感覚」[*4]というが、これは一面的であり、大岩オスカールの絵画の本質ではない。彼はもっと違うものを求め、見ている。言い換えれば、まだ誰も大岩オスカールの絵画世界をはっきりとは見てはいないのだ。

彼の制作の方法はきわめて理知的である。けして情緒的ではない。現実を離れ、夢を見るように空想するのではない。何よりもまず現実を観察する。彼は感情を動かされない冷徹な観察者として制作を始める。死や目を背けたくなるような残酷な光景に対しても大きく情感を動かされることはない。つねに理知的な眼差しが対象に向けられる。

ニューヨークの街で新聞を読みながら、「信念のために死んでいく自爆テロリストの体がスローモーションで爆発していくのを想像しようとします。その人の肉や血や内臓が道に散らばるシナリオを想像し、（略）文字やドローイングに変換してい[*5]」くのだという。じつに残忍で血なまぐさい光景を冷徹に想像する。同様に、「歩道の角の凍った白い鳩の死体が目に入ります。腹の部分が踏まれて、内臓が飛び出しています。白い羽は、雪と一体化して鳥の形がわかりにくくなっています。はみ出した内臓の赤い形がよく目立つ。気持ち悪いが、赤い形は抽象的でとても美しい。[*6]」と。死を見つめるここにも、感情だけに支配されない観察眼がある。

また、人間精神の暗部や闇を分析することも厭わない。

「『ガーデニング（秋の銀座）』は友人の事務所から見た東京、銀座の都市風景を描いています。数年前にある知り合いから恐怖症や精神分裂病、記憶喪失症など精神異常に関する本を買い、人間が実際に外の世界から受け取る情報がどのようにずれながら、感知されるかを調べました。このシリーズでは、実際に目の前にある現実と私たちが知覚するその現実についての歪んだ情報について描こうとしています。[*7]」と。

残虐な情景へ注がれる観察的で理知的な眼差し。そして死にすら心が動揺することのない冷徹な視線。それは彼の絵画が感覚的であるよりは、情動に左右されない論理的で、ある構造を持つことを示している。

彼は制作のプロセスを次のように述べる。

「新作のアイデアは宇宙から来るものではなく、色々な出来事の組み合わせから生まれます。実際の出来事であったり、様々なメディアが作り上げる様々なイメージの現実であったり、僕が想像の中で作り上げたものであったりします。また、以前制作した作品の新しい展開やいろいろな考えの積み重ねであったりもします。[*8]」と。すなわち彼の絵画のすべては空想からやってくるのではなく現実から始まるのだ。

こうして練り上げられた絵画へのアイデアは、多くは俯瞰的(ふかんてき)な構図や描画法を主体とした大画面の絵画として制作される。これは、彼が建築を学んだことに由来するだろう。彼の絵画の大きな特徴のひとつだ。

大岩オスカール《ぶらじる丸》（2015年。© Oscar Oiwa Studio）

それはただ俯瞰的な構図だけを意味しない。建築における絵画、それはたとえばパース図や設計図と呼ばれるものであり、あるルールに従って描き起こされた図であり、そこには基準があり、方法があり、構造がある。彼の絵画にはこうした図法を学んだ痕跡が密かに現れるのだ。

特に彼の絵画に内在するこの構造的な特質は、けして明瞭に表出しているわけではない。そして厳格なルールとしてあるのでもなく、またそれだけに準じて描かれているのでもない。あたかもデッサンで当たりを付けるときに引かれる探り線のように、彼の絵画の背後にそれは隠れるように存在し、彼独自の筆致で表現される都市や事物の光景によってゆるやかに覆われているのである。

現実を観察することによって導き出された図像は、この絵画の内在化した構造に貼り付けられるように画面を構築していく。それは重層的に積み上がり、具体的に描かれた街や乗り物、あるは花などの事物が重なり、透過して、彼の想念する世界が描かれる。

それではそこには、いったい何が描かれようとしているのだろうか。

戦争や環境問題などの現代社会の危機についてなのだろうか。国際社会の抱える差別や経済の問題なのか。あるいは人種を越えた人間同士のコミュニケーションの可能性について語りたいのか。社会に対するカリカチュアであるのか。もちろん、そうした意味を含むのだろう。また絵画をどのように見るかは見る者の自由に委ねられざるを得ないものであり、見る者にとってさまざまなこうした読み込みが可能であるだろう。だがそれは大岩オスカールが、本当に自らの絵画によって伝えたいものなのだろうか。

ギブソンの視覚理論の中に「不変項」[*9]という概念がある。これは変化する中でも変わることのないもののことであり、視覚はその見ているものの中から、すなわち視覚情報の中から「不変項を抽出している」のだという。この不変項は、ひとつの視覚の核心であり、言葉に表現できることもあるが、言葉にできないこともあるもので、これが視覚の本質なのだという。

大岩オスカールの絵画は、ギブソンの言葉を借りるならば「不変項の抽出」を目指しているように私は思うのである。

むろんギブソンの「不変項の抽出」は視覚における知覚を問題にしているのであって、大岩オスカールの「不変項の抽出」とは意味は異なるかもしれない。大岩オスカールが自らの絵画の中で求め、試みるのは、人間存在の本質、すなわち善も悪も、戦争も平和も、生も死も、何もかも呑み込んだこの世界そのものにある人間の存在の、変わらぬ何ものか、あるいはこの世界そのものの変わらぬ何ものかを描

『大岩オスカール　天地創造』を持つ大岩オスカール。2016年4月のブラジル大使公邸の作品披露パーティーで（写真＝著者）

くということでの「不変なもの」ではないのか。

こう指摘することは大袈裟であろうか。

また彼の絵画がいま自分の周囲に起こる現実を観察することから始まるなら、それは過去でもなく、来たるべき未来でもなく、いままさに私たちが生きるこの瞬間にある何ものかなのである。それは、彼の絵画がつねに私たちのものであり、この時代のものであることを意味するだろう。

さらにそれは絵画でしか実現できない、言葉にすることが困難であり、描かれたものを見ることでしか感覚できないものでもあるのではないか。

言語にならないものを抽象や非形象の絵画として表現することは、具体的な事物の形が手掛かりにならないことによって、具体的なイメージから切り離されるため、ある意味、比較的に容易であるかもしれない。具象的絵画においては、その描かれる対象のほとんどが、街やビルといった建物、犬や猫、自動車や船など言語化し得るものとして描かれることになるのだから、具象的表現で言葉にならないものを表現しようとすることは、容易（たやす）いものであるとは思えない。

だから彼の描きたいものは、単に画面に現れる個々の事物そのものではないといえるだろう。その背後に内在する事物と事物の関係や、事物と世界の繫がりや変化することのない構造としての、言葉には し難い、あるいは絵画でなければ表現し得ない「不変項」なのではないだろうか。

大岩オスカールはこうしたことを表現する困難さと苦闘しながら、今日もニューヨークのアトリエで ひとり絵筆を握っているのだろうか。彼の描いた大波の渦巻く海原を進む1隻の小船は、そんな自身の 姿を描いたものではあるまいか。

*1―ジェームス・J・ギブソン『生態学的視覚論』(古崎敬、古崎愛子、辻敬一郎、村瀬旻共訳)、サイエンス社、1985年4月、p.277。
*2―同前、pp.297–298。
*3―山下裕二「サウンパウロ、東京、ニューヨーク――皮相的グローバリゼーションを超えて」『大岩オスカール グローバリゼイション時代の絵画』、現代企画室、2008年3月、p.139, p.141。
*4―鎮西芳美「大岩オスカール――表と裏の間」、同前、p.142。
*5―大岩オスカール「ガーデニング」、同前、p.145。
*6―大岩オスカール「ガーデニング」、同前、p.145。
*7―大岩オスカール「ガーデニング」、同前、p.147。
*8―大岩オスカール「ガーデニング」、同前、p.146。
*9―「知覚者がテーブルの周囲をゆっくりと回ると、立体角として現れる一つのテーブル板はさまざまな台形に変形する。台形の角や辺は移動の仕方によって縦横に変形してしまう。しかしそれにもかかわらず『変わらない一つのテーブル』が知覚される。(中

略）ギブソンは、この変形から明らかになる不変なものを『不変項（インバリアント）』と呼んだ。」佐々木正人『アフォーダンス 新しい認知の理論』、岩波書店、1994年5月、pp.48–49。
補注―引用文中の一部に現在では不適切と思われる表現があるが、資料性を考慮し原文のままとした。

［『大岩オスカール　天地創造』、求龍堂、2016年5月］

「くだる」展覧会と「くだらない」展覧会

展覧会には「くだらない」展覧会と「くだらなくない」展覧会、すなわち「くだる」展覧会のふたつの種類がある。「くだる」展覧会、果たしてこのような言い方が日本語にあるかどうかは知らない。「くだらない」の否定形である「くだらなくない」は二重否定＝肯定になるのだから、素直に肯定形にすれば「くだる」となる。そして「くだらない」が「つまらない」とか「面白くない」といった意味ならば、「くだる」の意味は「つまらなくない＝面白い」となるだろう。

つまり、「くだらない」展覧会とは、面白くない展覧会であり、あえて見る必要もない展覧会、個人的に少しも興味を持てない展覧会、あってもなくても、やってもやらなくてもいい展覧会、無駄な展覧会などのことを、個人的に指していうものだ。[*1] それに対して「くだる」展覧会とは、私にとっては面白くて意味のある展覧会ということになる。

ただし、誤解してほしくないのは、私が「くだらない」と言うのはあくまでも私の基準であり、ましてやこの基準は、展覧会の善し悪しを言うものではない。私の個人的な判断であり、果たしてそれが万人に通用するかどうかは知らない。良くても「くだらない」展覧会はあるかもしれない。つまり、一般的な価値判断の埒外にある私の決めた基準である。ただし、それは感覚的なものではない。私なりの確証を持った理性的な判断ではあるのだ。

それではいったいどのような展覧会が「くだる」展覧会なのだろうか。海外の展覧会で恐縮だが、私の基準に従っていえば、次の三つの展覧会は「くだる」展覧会の範疇に入る。

まずは、1989年5月にフランス、パリのポンピドー・センターで開催された『大地の魔術師たち(Magiciens de la Terre)』展だ。キュレーターはジャン＝ユベール・マルタン。周縁と中心をテーマに、白人、ヨーロッパ中心のそれまでの文化コンテクストを批判的に取り上げ、ヨーロッパ圏以外のアジアやアフリカの文化にも光を当て、単に美術だけではなく、民族的な制作物、宗教行事に用いるものなど、さまざまな日常的な創作行為を含め、それらをイコールに捉えながら展示した伝説的展覧会である。現在の多様性、共生、あるいはジェンダーフリーに通じる新しい文化の文脈と概念を示した画期的な展覧会だった。とはいうものの、残念ながら私は未見である。当時、パリを訪れていたにもかかわらず展覧会は見なかった。わずかに記憶にあるのは、ポンピドー・センターの上空にあったニール・ドーソンが制作した巨大な地球の金属オブジェである。しかし、私は見なかったことをまったく後悔していない。なぜなら、そのとき、この展覧会を見たとして、果たして正しくその意味を理解できていたかどうかはわからないからだ。私にはまだその当時、この展覧会の価値を正しく見極められるほどの知識や技量があったかどうかはわからない。このことが意味するのは、展覧会を理解できるかどうかは、見せる側の力量も問われるが、同時に見る側の力量も問われるということである。貧困な観覧者には展覧会の価値は貧しくしか理解できないのである。

次に上げるのはベルギーのゲントの現代美術館の館長を務めたヤン・フートが企画した『シャンブル・ダミ（Chambres d'Amis）』である。これは1986年9月から3ヵ月間にわたってゲント市内の一般住宅50ヵ所以上を会場にして、クリスチャン・ボルタンスキー、ダニエル・ビュレンヌ、ブルース・ナウマンなどの現代美術家の作品が展示された展覧会で、運営には多くの市民が協力した。美術館やギャラリーのホワイトキューブを離れた日常の空間に現代美術を展示し、それら「友達の部屋（シャンブル・ダミ）」である展示場所を鑑賞する人たちは訪ね歩く。これもそれまでには考えられなかった画期的な展覧会であった。美術館という権威に対する批判、また一般の市民の協力、そして鑑賞者が自らの意志で作品を求めて移動しなくてはならないということなど、新しい美術の展示と鑑賞のあり方を提示している。そしてこの方法は、その本質が歪められ、まったく別物になり、形骸化したものになってしまったとしか言えないのだが、いま、日本各地に蔓延している「くだらない」地域振興型のアート・プロジェクトのひとつの原型でもあるのだ。残念ながらこの『シャンブル・ダミ』も未見ではある。

さて、3番目に上げるのは、私が実際に見ることができた展覧会である。ヤン・フートの企画した『ドクメンタ9』、ドイツのカッセルで5年に1度開催される国際美術展の第9回である。1992年7月にヨーロッパに行ったときに見たもので、それは私にとっての初めての本格的な国際美術展体験でもあった。多くの人が集う展覧会の会場は、「祝祭」的な雰囲気に溢れ、実に活気に満ちたものであり、日本からも作家が選ばれていた。当時、すでに国際的に評価されていた川俣正、あるいはリアルな具象の木彫で日本で人気の出始めていた舟越桂、イタリア在住だった長澤英俊らが参加していた。川俣の作品は、会場を流れる小川に沿って点在した木のバラック小屋が、やがて集落を形成するように配されたインスタレーションで、文明の発祥を連想させ、印象に残っている。そして何よりも強い衝撃を受けたのは、会場に集う人々の年齢の幅の広さと、屈託のない笑顔である。現代美術を心から楽しむことが当たり前であるのが、ヨーロッパの文化だったのだ。当時の日本の現代美術はまだ若者が見るものであり、年寄りや子どもは見にくるものではなかった。ましてや、鑑賞しながら笑い声など起きようもない。私はこのとき、現代美術は笑い飛ばして見てよいものだということを知ったのだ。難しいことを考える必要もなく、まさに見たままに、感じたままに作品に接していいという、当たり前のことを。

さらに、現代美術はなんでもありでよいということも知った。のちに私の好きな作家になるヴィム・デルボアが、自分自身の排泄物の画像を焼き付けたタイルを並べた作品を展示しており、会場でそれを見て排泄物すら作品になるのだと理解した。むろん、このときは作家の名前も何も知らなかった。[*2]

この展覧会は、私の美術に対する既成概念を打ち壊してくれた。つまり、私は「自由」になったのだ。何者にも囚われない「自由」、なんと素晴らしいことか。ヤン・フートは素晴らしい、選ばれた作家たちも素晴らしい、そして見にくる鑑賞者たちも「自由」で素晴らしいのだ。つまり、それは現代美術が素晴らしいということにほかならない。

それでは最近このような「くだる」展覧会はあるのだろうか。残念ながらほとんどない。「くだる」展覧会が、上記のような展覧会であるなら、それは歴史的な展覧会であり、これまで見たこともないようなものであり、才能のある作家が見たこともないような作品を、見たこともないような方法で制作し、展示していて、企画したキュレーターがそれらを「自由」に、これまでには見たことのないコンセプトで、現状を批判的に、また新しい価値観や概念を提示したものになる。なかなかそんな展覧会にお目にかかれるとは思えない。事実ない。

ではいったい、この『カオスモス』は「くだる」展覧会であるのだろうか。『チバ・アート・ナウ』から25年以上も続く展覧会。継続するということは非常に困難なことである。形を変えてきたとはいえ、それだけで充分意味や価値はあるだろう。

そして、この展覧会の特徴は何か。端的にいえば、きわめて独特の展覧会であるということになる。どう独特なのか。これまで開催された展覧会の作家リストには、専門家や一般の人にも多少知られた作家と、まったくの無名の、美術の専門家すら知ることはないのではと思われる作家が混在する。そこには、どこで企画者黒川公二が知ったのかわからないような若くして亡くなった作家も含まれる。このいわく言い難い作家の選択には、ほかでは見られないような、ともすると少し身震いをするような独自さと個性が漂う。

そして展覧会自体もどこか摑みどころがない。タイトルもテーマも作家も、すべてシャッフルしても違和感がないかもしれない。それはいい意味で全体として、どれもが企画者の個性によって支えられた展覧会だということである。また図録の文章を眺めると、その独自性のあまりに批評の困難さを感じさせ、関わる批評家泣かせの展覧会のようにみえる。誠実な島敦彦は、ほかの展覧会を引き合いに出し、あの百戦錬磨の中村敬治ですら立石大河亞（たいがあ）押しで逃げ切っているのだから。この展覧会では、私のような凡庸な批評家は下手に格闘してはならない、ということだ。

この「沈黙の春に」と題された展覧会を含めて、『カオスモス』という一群の展覧会は、一般的な展覧会が恒星や惑星のような実体のあるものだとするなら、まるで宇宙に浮遊するガス、あるいは塵のようだろう。実体が見えず、摑みどころのない感覚に包まれている。だがその感覚は、流行り言葉でいえば「風の時代」あるいは「ニューノーマル」などと称される、新しい現実の覚束なさを予見したもののようでもあり、企画者黒川公二の繊細で神経質な目が捉えた、一般の人には不可視の光景かもしれない。宇宙に浮遊するガスや塵はやがて集まり、固体となり、長い年月をかけて星となることもある。この展覧会はその意味では、実体を形成する以前の「始原の形状」なのかもしれないのだ。

さて、そんな展覧会は「くだる」展覧会であるのだろうか。その最終的な判断は、この展覧会を実際に見ている来館者たるあなた方に委ねたいと思う。ただ申し添えるなら、私は、これほどまでに個性的であり、誰も見たこともないような作家の作品が並ぶのだから、この「沈黙の春に」という展覧会には、充分に「くだる」展覧会としての資格が秘められていると思うのだが、どうであろうか。

＊1―「くだらない」展覧会とは具体的にはどんな展覧会を言うのか。たとえば、美術団体が開催している各種の団体展、公募展の類。かつては日本の美術史を彩る作家を輩出したが、いまやほとんど素人の作品展といっていい。もはや趣味の展覧会である。国が関与することで文部科学大臣賞が出されたり、将来の日本芸術院会員へ向けた思惑が飛び交ったりするが、何の意味もない。無駄な展覧会の最たるものだろう。私にとっては存在しないに等しいものである。さらに、現代美術の人気のある展覧会でも、私にとっては「くだらない」ものもある。テーマなどがあったとしても作品から浮かび上がるのでもなく、総じてどの展覧会も総花的であり、その時々のトレンドの作家が招聘される。作家や作品は凡庸である。キュレーターの目が凡庸だからだ。ステータスを求め、人気キュレーターに気に入られようと競う。私にはこうした美術の、一種ファッション的な在り様がまったく理解できない。

＊2―ヴィム・デルボアには、広島市現代美術館の学芸課長時代に館を訪ねてきた作家本人に会っている。彼の代表作である「うんち製造機」の作品をプレゼンされた。展覧会をやりたいと思ったが、実現はできなかった。また迂闊にも、そのときに『ドクメンタ9』の排泄物のタイルを出品していた作家であったことに気付かなかった。まったく迂闊すぎる。

[『カオスモス6 沈黙の春に展図録』、佐倉市立美術館、2021年1月]

あとがき

日本の現代美術の25年の旅は、いかがだったろうか。

さて、ここでは本書で触れてきた内容について多少の解説を加え、もう一度振り返っておきたい。

日比野克彦は、いまでこそ現代美術のアーティストの扱いを受けているが、本書の第1章を読んだ読者は、最初からそうではなかったことが理解できるだろう。平塚市美術館で展覧会を開催した1994年当時ですら、美術関係者の多くは、テレビで活躍する若いイラストレーターぐらいにしか思っていなかったのだ。

翌1995年のヴェネチア・ビエンナーレに日本館のアーティストのひとりとして参加したが、前年の平塚市美術館での個展の実績がひとつのきっかけとなったことは想像に難くない。以後ようやく美術の分野での活動が増えていく。特に2003年の「大地の芸術祭　越後妻有(えちごつまり)アートトリエンナーレ」での《明後日新聞社文化事業部》や2005年の水戸芸術館の個展『HIBINO EXPO』を経て、地域と連携するプロジェクト系のアーティストとして実績を積んでいく。

実はほとんど知られていないことなのだが、平塚市美術館で個展を開催したときに、同時に『HIRATSUKA PROJECT』という、街中に作品を展示するというプロジェクトを行った。おそらく日比野克彦にとってこれが初めての地域アートのプロジェクトであったはずだ。

ボランティアを募集し、商店やカフェなどに作品を展示したほか、酒屋の配送用の軽トラックにペイントをしたり、路地に壁画を描いたりなど、現在地域アートなどと呼ばれているアート・プロジェクトと同様のプログラムを行っている。1994年に行われたこのプロジェクトはかなり早い例のひとつであるだろう。だが残念なことに、展覧会カタログの挨拶文に実施した事実は記されてはいるが、公式の記録は残っていない。

また、第1章では、「ユーモアや笑い」と「日本的なもの」に着目して日本的なポップ・アートに関連する文章をまとめてある。

アンフォルメルやモノ派などの先行する前衛美術としての現代美術、さらに1980年代から90年代に注目されていた彫刻家の若林奮(いさむ)、土屋公雄や戸谷成雄(とやしげお)、独自のインスタレーションの榎倉(えのくら)康二、絵画では『視ることのアレゴリー』展(1995年、セゾン美術館)以後美術シーンに数多く現れてくるペインタリー系など、当時主流とされていた現代美術の作品には、この「ユーモアや笑い」の要素はほとんど見られない。

60年代のアメリカのポップ・アートの影響以後、たとえば吉村益信(ますのぶ)の《豚・pig lib;》(1971年)のような「ユーモアや笑い」の要素が現代美術の作品の中に登場してくる。そのほかモノ派の一部にみられる機智、また高松次郎、赤瀬川原平（げんぺい）、中西夏之（なつゆき）のハイレッド・センターの《首都圏清掃整理促進運動》（1964年）などのナンセンスやハプニングなど、60年代半ばから70年代、80年代にかけて、ポップ・アートによって急速に大衆化し始める現代美術にこうした「ユーモアや笑い」が現れてきたのだといえるだろう。

一方、「日本的なもの」への関心は、80年代から90年代にかけて経済的な発展とともに国際社会の中へ押し出される日本が、文化的アイデンティティを求めたとき、また表現においての西欧のアーティストたちとの差別化を図ろうとしたとき、必然的にこうした伝統的な題材に行き着いたのだ。日の丸、着物、富士山など日本的なもの、あるいは日本画や工芸の伝統的な技法など、あらゆるものがその対象になり、同時に西欧にはないアジア的な色彩やキッチュなものなどにも関心が及んでいく。

第2章ではメディア・アートに関連する文章を集めてある。

1997年4月東京オペラシティの中にNTTインターコミュニケーション・センター［ICC］がオープンする。メディア・アートに特化した展示施設である。私はオープン直後の5月に平塚市美術館から学芸課長（シニア・キュレーター）として異動した。

日本の電話事業100年を記念して作られた施設で、業績好調であったNTTからの潤沢な予算があり、仮に予算をオーバーしたとしても300万円、400万円などは誤差の範囲という、数万円の金額のやりくりに苦労していた国立や公立の美術館との予算感覚の違いに、国立国際美術館から転出した学芸部長（チーフ・キュレーター）だった中村敬治氏とともに、驚いたものだった。

だが、この潤沢な予算があってこそ、坂本龍一とのコラボレーション、磯崎新や荒川修作による大規模な展覧会、浅田彰や国際的な審査員を招聘してのメディア・アートのコンペティションの開催、多彩なシンポジウム、ダムタイプの公演、野外での大規模なパフォーマンスなど、ほかの展示施設では難しい企画を次々に行うことができたのだ。

だが、一方で機材のスペックに表現が依存し、その目新しさだけが先行する作品もあり、国内外の注目を集めていた外見的な活況に反して、アートの表現としては内容の乏しいメディア・アートには、私はつねに批判的であった。これはいまでもなお、メディア・アートの持つ課題でもあるだろう。この章では目配り先端技術のアートへの浸透、さらにはアジア地域でのメディア・アートの動向にも、目配りしたつもりである。

90年代に入ると、ヴェネチア・ビエンナーレをはじめとしたヨーロッパの国際美術展やアート・フェアが活況を呈する。第3章ではこうした状況と同時に、国際的にも注目をされ始めたアジアの美術と、中国や韓国の現代美術の状況をレポートした文章を集めた。

1989年のジャン＝ユベール・マルタンの『大地の魔術師たち』展を皮切りに、1992年のヤン・フートの『ドクメンタ9』、さらにはミュンスターの野外彫刻展など、多くの国際美術展において、それまで欧米中心だった現代美術が大きく転換する。それは多文化主義の名のもとに、それまで周縁と見做されていたアジアやアフリカ出身のアーティストやキュレーターが注目され、彼等の国際的な美術展への登場で一気に美術の世界のグローバル化が進んだ。それは同時に、アート市場(マーケット)での新しい商品の登場と経済的に豊かになったアジアの市場獲得を目指したアート資本の競争でもあり、日本や韓国、中国が欧米の有力ギャラリーを中心とした資本主義のアート・サーキットの渦に、良くも悪くも巻き込まれていく状況だったといえる。このとき、世界に遅れることなく同時進行のアート・ムーブメントの中で、たとえば川俣正、曽根裕(ゆたか)、村上隆、森万里子などのアーティストたちや長谷川祐子などキュレーターが国際的に評価され、日本の現代美術は急速に国際化していったということでもある。

さらに中国では、改革開放政策によって、現代美術が反権力から一転して国家宣伝と外貨獲得の文化的な柱のような存在になった。欧米の資本が進出した巨大なギャラリーが集合する「798」地区は、その象徴的な場だったといってもいい。

最後の第4章では、主に2000年代以降の多様化する美術の諸相におけるリアリティの問題を扱っているものを集めた。

かつての美術のような大きな物語である運動やイズムが衰退し、絵画や彫刻といった従来のカテゴリーに加えて、インスタレーション、パフォーマンス、映像などの表現や、それらのカテゴリーを越え、あるいは複合したさまざまな表現が現れる。これらは、無定形に拡張し、個別の分断された断片となって飛散してしまっているようにもみえる。こうした状況は2000年代初頭から始まる、現代美術の小さな物語の時代の到来を示している。

ここまで本書の内容を簡単に振り返ってみたが、ここで触れることのできなかった問題もある。「横浜トリエンナーレ」のような国際美術展も日本で始まった。2001年のことである。あるいは「大地の芸術祭　越後妻有アートトリエンナーレ」は地域と結びついた大型の国際美術展として2000年に。さらに「あいちトリエンナーレ」は2010年からと、次々に日本でも大規模な国際美術展が企画開催されるようになった。これらは現代美術が日本において社会的な認知に至ってきたという証拠でもある。しかし同時に、日本の現代美術の周辺には新たな問題も起こっている。

公の施設の運営を民間に委託する「指定管理者制度」が始まったのが、2003年である。自治体や国の財政赤字拡大に伴う、予算削減のために行われた一種の平成版「官営企業払い下げ」であり、美術館施設もこの波に呑み込まれ、多くの公立美術館が指定管理に移行した。また国立美術館も例外ではなく、国の直営から独立行政法人化され、ほとんどの日本の美術館施設で予算が削減されたのである。

そして同時に、美術館施設のような本来は社会教育施設として、文化的な施策や教育的な意味を重視していた施設に対しても、経営の効率化や収益化を求められるようになっていく。

こうした状況の背景には、財政の悪化と経済状況の悪化ということもあるが、それ以上に1980年代以降の経済社会の構造的な変容が関与しているといえる。それは、企業経営における、投資を目的とした利益追求の動きである。たとえばM&Aによる企業買収など、企業への投資が経営による利潤追求であるよりは、株式売買を中心にした短期的な利益回収型となり、株主優先、すなわち資金提供者の利益を最優先に考える、一種の効率主義、合理主義思想が台頭したことである。

このことは、企業経営における短期的な利益を優先させ、長期的な視点に立った事業の成立を危うくさせ、社会全体の利那主義的で消費的な傾向を一層強めることになっただろう。

この構造の変容が文化領域に現れたのが、美術館施設における収益化、地域住民への利益還元といった、文化の本質とは異なる価値基準であった。結果として、恒常的な文化予算は削減され、作品収集といった文化資産の蓄積は軽視された。すなわちアーカイブとしての文化施設であるよりは、楽しみを消費する娯楽施設であることが求められ、現代美術の展覧会は短期的なイベントと化し、利益回収と地域振興の一手段となる。アートはいつの間にか観光資源となり、一部のアーティストとキュレーターは各イベントを渡り歩く、季節労働者のような状況に立ち至るのである。

こうして、公立美術館の予算や公的助成地域振興など、公共のお金に関する問題は、さらにその使途における政治的妥当性という課題を抱えることとなり、日本の保守化、右傾化という政治的な流れの中で、「表現の自由」をめぐる論争を引き起こす。

また、公共という問題は、さまざまな美術の在り方に影を落としている。ストリート・アートやバンクシーのような社会的な落書き行為による、人々が共有する公共の空間での表現を行うことの是非、公共の場における政治的な自由、社会的な倫理と表現などセンシティブな問題が山積する。

日本の現代美術の「来し方」については、椹木野衣（さわらぎのい）氏が執筆した日本の現代美術史『日本・現代・美術』（新潮社、1998年）やそれに続く著作などだけではなく、いま少し別様の、多様で多視点的な記述が必要であるだろう。私たちはより多くの人によって、より多くを語らなければならない。そして、「行く末」についても、いまや『TOKYO POP』から始まった新しい表現の流れは、見慣れたものとなり、当たり前となった。この先、日本の現代美術は、いまここで示したようなさまざまな課題や問題を背負いつつも、この時代になくてはならない、またこれまでになかったような、新たな表現を求めて展開していくだろう。そしてその可能性は未来を担うこの本書の読者の掌中（しょうちゅう）にある。

さて最後に、編集者及川道比古氏には本書の刊行について一方ならぬお世話になった。本書になんらかの益するところがあるとするなら、著者ばかりではなく、編集者の力の賜物（たまもの）でもある。また平凡社の日下部行洋氏、デザイナーの近藤一弥氏にもお世話になった。さらに図版掲載にあたっては、アーティスト、写真家、並びに美術館、ギャラリーなど関係各位のご協力をいただいた。合わせて謝意を申し上げたい。

本書が、日本の現代美術の歴史の一側面を書き記した1冊となることを願ってやまない。

『TOKYO POP』展から25年の月日が経過した2021年の冬を迎えた日に。　著者

-や行
柳幸典
YANAGI Yukinori HP　http://www.yanagistudio.net/home.html
武蔵野美術大学 HP artist　柳幸典 /Yanagi Yukinori
http://apm.musabi.ac.jp/imsc/cp/menu/artist/yanagi_yukinori/intro.html
「柳幸典つなぎプロジェクト成果展2021 Beyond the Epilogue」～ 柳幸典アーティストトーク
https://www.youtube.com/watch?v=BhezcPcdZ24

ヤノベケンジ
YANOBE KENJI ART WORKS HP　https://www.yanobe.com/
ヤノベケンジ Twitter　https://twitter.com/yanobekenji
KENJI YANOBE Archive Project tumblr
https://kyap.tumblr.com/?fbclid=IwAR284JmXGGZPUF3XQoGVxNwzcA_ZtDGB5P3U-sH-XMEx4XC8Xm7Ua--7Uw0

湯村輝彦
FRAMINGO STUDIO INC. HP　http://flamingostudio.com/

横尾忠則
Tadanori Yokoo Official Website　http://www.tadanoriyokoo.com/
Twitter　https://twitter.com/tadanoriyokoo/
FB　https://www.facebook.com/profile.php?id=100063477700020
横尾忠則現代美術館公式 HP　https://ytmoca.jp/

-わ行
渡辺聡
TARO NASU GALLERY HP artists
http://www.taronasugallery.com/artists/satoshi-watanabe/

（2021年12月現在。編集：小松崎拓男、協力：内藤優子）

「未来食　食に関する3つのストーリー」
https://tsao.co.jp/project/lixil14/eting-in-future-3-stories-on-eating/

松蔭浩之
Hiroyuki MATSUKAGE　https://www.matsukage.net/
MIZUMA ART GALLERY HP Artists　https://mizuma-art.co.jp/artists/matsukage-hiroyuki/
Twitter　https://twitter.com/matsukage_mr/

minim++（ミニムプラプラ）
minim++ HP　https://plaplax.com/legacy/minim.htm

ミヤタケイコ
Instagram　https://www.instagram.com/miyata_keiko/
Twitter　https://twitter.com/pow_on/

村上隆
公式Twitter　https://twitter.com/takashipom/
公式Instagram　https://www.instagram.com/takashipom/
Kaikai Kiki Co., Ltd. HP　https://www.kaikaikiki.co.jp/

ムラギしマナヴ
Manavu Muragishi HP　http://manavu.net/

明和電機
HP　https://www.maywadenki.com/
公式Twitter　https://twitter.com/maywadenki/
Instagram　https://www.instagram.com/maywa_denki/

森万里子
SCAI THE BATHHOUSE HP　バイオグラフィー
https://www.scaithebathhouse.com/ja/artists/mariko_mori/?mode=biography

森村泰昌
moriura@museum　https://www.morimura-at-museum.org
「森村泰昌」芸術研究所 Twitter　https://twitter.com/ymorimura
「森村泰昌」芸術研究所 Instagram　https://www.instagram.com/yasumasamorimura/
森村泰昌アーカイヴ
https://www.youtube.com/channel/UCjfcYMSUkDdPKiNrrjqeJ7g

科教授
https://www.geidai.ac.jp/container/column/closeup_010
Twitter　https://twitter.com/hibinokatsuhiko/

福井篤
TOMIO KOYAMA GALLERY HP Artists
http://tomiokoyamagallery.com/artists/atsushi-fukui/

福田美蘭
千葉市立美術館 HP 福田美蘭展
https://www.ccma-net.jp/exhibitions/special/21-10-2-12-19/

舟越桂
Katsura Funakoshi official site HP　http://www.katsurafunakoshi.com
特別インタビュー「舟越桂、自作を語る」
https://www.youtube.com/watch?v=cKyfGJ9rkRw
Internet Museum 渋谷区立松濤美術館『舟越桂 私の中にある私』
https://www.youtube.com/watch?v=TVil8L5-qvo

ブルース・ヨネモト
Tokyo Arts and Space クリエーター
https://www.tokyoartsandspace.jp/creator/index/Y/1095.html
YONEMOTO HP(English)　http://www.bruceyonemoto.com/

法貴信也
京都市立芸術大学 HP　教員紹介　https://www.kcua.ac.jp/professors/hoki-nobuya/
タカ・イシイギャラリーHP ARTISTS
https://www.takaishiigallery.com/jp/archives/3906/

-ま行
前林明次
IAMAS 情報科学芸術大学院大学 HP　教員の紹介
https://www.iamas.ac.jp/faculty/akitsugu_maebayashi/
教員インタビュー　前林明次教授
https://www.iamas.ac.jp/report/interview-maebayashi-akitsugu/

間島領一
ART Interview artscape
https://artscape.jp/museum/nmp/artscape/interview/9902/majima.html
TOSHIO SHIMIZU ART OFFICE　クリエイションの未来展　謝琳＋間島領一＋品川明

GalleryalphaM『絵と、』アーティストトーク vol.5中村一美×蔵屋美香
https://www.youtube.com/watch?v=XYaUr4447As

中村哲也
Art Place HP Artists
https://www.artplace.co.jp/artist/中村-哲也

中山ダイスケ
東北工科芸術大学 HP　教員検索　https://www.tuad.ac.jp/about/search/teacher/2136/
web magazine GG CHANGEMAKERS（＝社会を変革する人）を育てたい／学長・中山ダイスケ（前編）（後編）
https://www.tuad.ac.jp/gg/interview/1681/
https://www.tuad.ac.jp/gg/interview/2401/
Twitter　https://twitter.com/daisukemonkey

奈良美智
公式 Twitter　https://twitter.com/michinara3/
Instagram　https://www.instagram.com/michinara3/
N's yard HP　https://www.nsyard.com/

-は行
長谷川純
BRITISH COUNCIL Collection
http://visualarts.britishcouncil.org/collection/artists/hasegawa-jun-1969/initial/h/
太宰府天満宮アートプログラム
https://www.dazaifutenmangu.or.jp/art/program/vol.2/

八谷和彦
東京藝術大学教員紹介（リンク先：国立研究開発法人科学技術振興機構 research map）　https://researchmap.jp/hachiya.kazuhiko/
Twitter　https://twitter.com/hachiya/

東島毅
東島毅｜official website HP　https://tsuyoshihigashijima.com/
京都芸術大学 HP　教員紹介
https://www.kyoto-art.ac.jp/info/teacher/detail.php?memberId=97315

日比野克彦
Hibino Special　https://www.hibinospecial.com/
東京藝術大学 HP　クローズアップ藝大　第十回日比野克彦美術学部長／先端芸術学

寺嶋章之
biogon pictures inc. HP　https://www.biogon.co.jp/staff/

冨井大裕
Motohiro Tomii HP　http://tomiimotohiro.com/
Twitter　https://twitter.com/mtomii/
武蔵野美術大学 HP　専任教員教員プロフィール集
http://profile.musabi.ac.jp/page/TOMII_Motohiro.html

戸谷成雄
市原湖畔美術館 HP　『戸谷成雄　森一湖　再生と記憶』
https://lsm-ichihara.jp/exhibition/戸谷成雄/
武蔵野美術大学　彫刻学科研究室　表現演習（スタジオ訪問）/ 戸谷成雄
https://www.youtube.com/watch?v=YgxdVsCJdHg

-な行
内藤（ひびの）こづえ
ひびのこづえ　公式 HP　http://haction.co.jp/kodue/home.html
Instagram　https://www.instagram.com/hibinokodue/
ひびのこづえブログ「ひびののひび」　https://kodue1958.exblog.jp/

永井一正
日本デザインセンター・コミッティー
https://designcommittee.jp/member/nagai_kazumasa.html

中ハシ克シゲ
@ KCUA Articles 中ハシ克シゲ　大津のアトリエ
https://gallery.kcua.ac.jp/articles/2021/5862/
ADC 文化通信　挑戦し続ける中ハシ克シゲの軌跡
http://adcculture.com/journalist/shiratori-90/

中原浩大
京都市立芸術大学　教員紹介　https://www.kcua.ac.jp/professors/nakahara-kodai/
中原浩大教授インタビュー　https://www.youtube.com/watch?v=ahkcJbDbXD8

中村一美
多摩美術大学 HP　教員・スタッフ
https://www2.tamabi.ac.jp/yuga/faculty_member/385/
Kaikai Kiki　中村一美個展インタビュー
https://www.youtube.com/watch?v=r6wizyeR-Ac

高橋信行
愛知県立芸術大学 HP　https://www.aichi-fam-u.ac.jp/faculty/faculty_000135.html
Twitter　https://twitter.com/nobuta1968/

田口和奈
Kazuna Taguchi HP　http://www.kazunataguchi.com/
IMAPEDIA HP　アーティスト　https://imaonline.jp/imapedia/kazuna-taguchi/

タナカノリユキ
ADC 会員プロフィール
https://www.tokyoadc.com/new/members/detail.html

束芋
Ufer! Art Documentary 初芋：束芋 1999-2000
https://www.youtube.com/watch?v=47QlHW5gNuQ
美術手帖 HP　アーティスト　https://bijutsutecho.com/artists/56/

太郎千恵蔵
TARO CHIEZO Official site HP　http://tarochiezo.net/
Instagram　https://www.instagram.com/tarochiezo/

近森基
Plaplax HP　https://plaplax.com/
minim++ HP　https://plaplax.com/legacy/minim.htm

つげ義春
講談社コミックプラス　つげ義春大全　http://news.kodansha.co.jp/8051

土屋公雄
武蔵野美術大学建築学科　土屋スタジオ HP
https://musabi-arc-tsuchiyastudio.info/professor/
KIMIO TSUCHIYA OFFICIAL WEBSITE HP　http://www.kimio-tsuchiya.com/

椿昇
京都芸術大学 HP　教員紹介
https://www.kyoto-art.ac.jp/info/teacher/detail.php?memberId=00232
京都国立近代美術館 HP　『椿昇 2004-2009 GOLD/WHITE/BLACK』
https://www.momak.go.jp/Japanese/exhibitionArchive/2008/371.html

NISHIMURA GALLERY HP artists
http://www.nishimura-gallery.com/artists/kobayashi/kobayashi.html

-さ行
菅木志雄
TOMIO KOYAMA GALLERY HP ARTISTS
http://tomiokoyamagallery.com/artists/kishio-suga/
東京都現代美術館 HP『菅木志雄　置かれた潜在性』
https://www.mot-art-museum.jp/exhibitions/kishiosuga/
【横浜市民ギャラリー】菅木志雄インタビュー
https://www.youtube.com/watch?v=Gqj2jKJmeuI

鈴木康広
武蔵野美術大学 HP　専任教員教員プロフィール集
http://profile.musabi.ac.jp/page/SUZUKI_Yasuhiro.html
YASUHIRO SUZUKI HP　http://www.mabataki.com/
Twitter　https://twitter.com/mabataku/
Instagram　https://www.instagram.com/mabataki_suzuki/

鈴木了二
鈴木了二［早稲田建築アーカイブス：049］1 物質試行—絶対現場まで
https://www.youtube.com/watch?v=fn6YZ-bpo3Y

曽根裕
美術手帖 HP　論説：初期作品から「石器時代最後の夜」まで。ゼロ距離で曽根裕を考える（前編）（後編）
https://bijutsutecho.com/magazine/insight/22967
https://bijutsutecho.com/magazine/insight/22968

-た行
高谷史郎
HP　http://shiro.dumbtype.com/
NTT Intercommunication Center［ICC］HP　プロフィール
https://www.ntticc.or.jp/ja/archive/participants/takatani-shiro/
京都市立芸術大学 HP　卒業生インタビュー
https://www.kcua.ac.jp/profile/interview/arts/art_20_takatani_1/

高橋栄樹
高橋栄樹　映画監督／ミュージックビデオディレクターHP
https://www.eikitakahashi.com/

-か行

風間サチコ
MUJIN-TO HP ARTISTS　https://www.mujin-to.com/artist/kazama/
Tokyo Contemporary Art Award 受賞者インタビュー
https://www.tokyocontemporaryartaward.jp/winners/2019-2021/winner01_interview.html

加藤美佳
TOMIO KOYAMA GALLERY HP ARTISTS
http://tomiokoyamagallery.com/artists/mika-kato/

川俣正
TADASHI KAWAMATA HP　http://www.tadashikawamata.com/

北田克己
ナカジマアート HP　主な取扱作家　http://www.nakajima-art.com/ryakureki/kitada.html

久納鏡子
Plaplax HP　https://plaplax.com/
minim++ HP　https://plaplax.com/legacy/minim.htm

黒田征太郎
ACRYL × Ku HP　http://ku-kakiba.jp/

クワクボリョウタ
ryota kuwakubo HP　https://www.ryotakuwakubo.com/
IAMAS 情報科学芸術大学院大学 HP　教員の紹介
https://www.iamas.ac.jp/faculty/ryota_kuwakubo/

幸村真佐男
NTT Intercommunication Center［ICC］HP　プロフィール
https://www.ntticc.or.jp/ja/archive/participants/komura-masao/
FB　https://www.facebook.com/profile.php?id=100050827811825

小島淳二
teevee graphics, inc HP　http://www.teeveeg.com/

小林孝亘
TAKANOBU KOBAYASHI HP　https://www.takanobu-kobayashi.com/
武蔵野美術大学 HP　専任教員教員プロフィール集
http://profile.musabi.ac.jp/page/KOBAYASHI_Takanobu.html

［アーティストURL一覧］

・本書で触れた日本人アーティスト（日系人を含む）について現在の活動がわかるよう、関連するURLを50音順で掲載した。なお、物故者は除いた。
・SNS運営組織から公認されているものを「公式」とした。
・Twitter、Instagram、アーティストのホームページ（HP）、所属大学、所属ギャラリーのHPなど、信頼度が高いと思われるものを優先し、相互認証が必要であるFacebook（FB）については最小限に留めた。
・URLは情報の性質上、短期間のうちに更新、変更、削除される場合がある。そのような場合は人名による検索をお薦めする。

-あ行

会田誠
Twitter　https://twitter.com/makotoaida/
MIZUMA ART GALLERY HP　アーティスト・プロフィール
https://mizuma-art.co.jp/artists/aida-makoto/
MIZUMA ART GALLERY チャンネル　会田誠展「愛国が止まらない」
https://www.youtube.com/watch?v=9Ku1f-bOFCc

磯崎新
ARATA ISOZAKI HP　https://isozaki.co.jp/

イチハラヒロコ
鎌倉画廊 HP Artists　https://www.kamakura.gallery/ichiharahiroko/

岩井俊雄
Reincarnation of Media Art HP　ARCHIVES 岩井俊雄
https://rema.ycam.jp/archives/interview/toshio-iwai/
NTT Intercommunication Center［ICC］HP　プロフィール
https://www.ntticc.or.jp/ja/archive/participants/iwai-toshio/

内田あぐり
AGURI UCHIDA HP　https://www.aguriuchida.com/

大岩オスカール
Oscar Oiwa Syudio HP　http://www.oscaroiwastudio.com/
FB　https://www.facebook.com/oscar.oiwa/

［著者］

小松崎拓男（こまつざき たくお）

1953年生まれ。美術評論家。学習院大学大学院人文科学研究科博士後期課程中退。平塚市美術館主任学芸員、NTT インターコミュニケーション・センター［ICC］学芸課長、広島市現代美術館学芸課長、同副館長、金沢美術工芸大学教授などを歴任。現在は文教大学の非常勤講師を務める。長年にわたり現代美術、メディア・アート等の展覧会企画、評論に携わり、展覧会図録、雑誌等での執筆が多数ある。

TOKYO POPから始まる——日本現代美術1996-2021

2022年2月16日　初版第1刷発行

著者——小松崎拓男
発行者——下中美都
発行所——株式会社平凡社
〒101-0051 東京都千代田区神田神保町3-29
電話 03-3230-6585（編集）
電話 03-3230-6573（営業）

ブックデザイン——近藤一弥
組版——株式会社キャップス
印刷・製本——中央精版印刷株式会社

ISBN978-4-582-20649-4

落丁・乱丁本のお取り替えは小社読者サービス係まで直接お送りください（送料小社負担）。
平凡社ホームページ　https://www.heibonsha.co.jp/